Thérèse Laberge Samson, di
Recettes de Margot Brun Corne

Manger de bon cœur

Conseils-santé et
recettes savoureuses

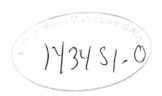
Guy Saint-Jean
ÉDITEUR

Catalogage avant publication de Bibliothèque et Archives nationales du Québec
et Bibliothèque et Archives Canada

Laberge Samson, Thérèse
Manger de bon cœur
Comprend des réf. bibliogr. et un index.
ISBN 978-2-89455-304-6
1. Appareil cardiovasculaire – Maladies. 2. Appareil cardiovasculaire – Maladies – Aspect nutritionnel.
3. Appareil cardiovasculaire – Maladies – Diétothérapie – Recettes. I. Brun Cornellier, Margot. II. Titre.
RC667.L32 2009   616.1   C2008-942405-0

Nous reconnaissons l'aide financière du gouvernement du Canada par l'entremise du Programme d'Aide
au Développement de l'Industrie de l'Édition (PADIÉ) ainsi que celle de la SODEC pour nos activités d'édition.

 Patrimoine   Canadian Canadä   SODEC Québec

© Guy Saint-Jean Éditeur Inc. 2009
Conception graphique: Christiane Séguin
Révision: Jeanne Lacroix
Photo couverture: Getty images

Dépôt légal — Bibliothèque et Archives nationales du Québec, Bibliothèque et Archives Canada, 2009
ISBN: 978-2-89455-304-6

DISTRIBUTION ET DIFFUSION
Amérique: Prologue
France: Volumen
Belgique: La Caravelle S.A.
Suisse: Transat S.A.

GUY SAINT-JEAN ÉDITEUR INC.,
3154, boul. Industriel, Laval (Québec) Canada, H7L 4P7. 450 663-1777.
Courriel: info@saint-jeanediteur.com • Web: www.saint-jeanediteur.com

GUY SAINT-JEAN ÉDITEUR FRANCE,
48, rue des Ponts, 78290 Croissy-sur-Seine, France. (1) 39 76 99 43. Courriel: gsj.editeur@free.fr

Imprimé et relié au Canada

Table des matières

Avant-propos

Manger de bon cœur est le fruit d'une rencontre de deux passions, soit la nutrition et la fine cuisine. En effet, c'est en 1989 que Madame Thérèse Laberge Samson, une passionnée de la nutrition et de la cuisine santé, a rencontré Madame Margot Brun Cornellier qui avait subi une chirurgie cardiaque, dans le but de lui enseigner les notions d'une alimentation propice à la santé cardiovasculaire.

Créer un livre qui combinerait enseignement nutritionnel et recettes santé était un rêve que Madame Thérèse Laberge Samson chérissait depuis de nombreuses années. Elle en fit part à Madame Cornellier. Plusieurs mois plus tard, Madame Cornellier contacta Madame Samson pour lui apprendre qu'elle avait modifié 150 de ses meilleures recettes et pour lui demander si elle acceptait de les réviser. Ainsi débuta l'aventure: il y eut une première édition en 1990, puis une deuxième en 1997, puis ce tout nouveau livre.

Cet ouvrage comprend les meilleures recettes revisitées des deux premiers livres ainsi qu'une section «Enseignement nutritionnel», à caractère unique par sa conception, qui se veut un outil pour tous ceux qui se préoccupent de leur santé cardiovasculaire. Effectivement, le lecteur aura l'occasion de faire de multiples exercices qui lui permettront de bien connaître son profil de santé cardiovasculaire.

Notes des auteurs et collaborateurs

La santé vous préoccupe, donc ce livre est pour vous. Vous pouvez l'apprécier pour son «Guide d'une saine alimentation» où vous trouverez des explications qui vous soutiendront dans votre démarche de prévention ou de traitement, et vous permettront de faire l'apprentissage de saines habitudes alimentaires. Vous souffrez d'une maladie cardiovasculaire ou de diabète? Ce livre sera un outil précieux pour changer progressivement vos habitudes alimentaires. Vous y ferez la découverte de succulentes recettes santé. Osez essayer de nouvelles recettes, de nouveaux fruits, de nouveaux légumes...

Vous vous souvenez des senteurs de la cuisine d'antan? Les mets traditionnels des réunions familiales à l'occasion de Noël, de Pâques, des anniversaires? Toute la maison embaumait alors des odorants mélanges de fines herbes et d'épices des plats longuement mijotés, dont le secret se transmettait d'une génération à l'autre.

Aujourd'hui, notre rythme de vie est différent et nous devons souvent nous préoccuper d'adopter une alimentation saine en fonction de nos besoins. Mais si les recettes légères et la cuisine santé connaissent des heures de gloire, nous croyons sincèrement que plaisir et santé peuvent être combinés.

Les recettes qui sont proposées dans ce livre ont été élaborées par une personne qui a vécu cette réalité. Madame Margot Brun Cornellier a souffert d'une maladie cardiaque et son mari était diabétique. Elle a toujours aimé cuisiner et sa réputation de cuisinière hors pair dépassait largement son cercle familial. Ne voulant pas se restreindre à une cuisine de régime, elle a misé sur son habileté et son imagination culinaires. Grâce à l'encouragement et au soutien de sa belle-sœur, Jeannine Cornellier, et avec les recommandations nutritionnelles de Thérèse Laberge Samson, elle a repris et adapté ses meilleures recettes. À vous maintenant de passer à l'action et de GÔUTER pleinement ce livre!

Nutritionnellement vôtres,

Thérèse Laberge Samson, Dt.P., coauteure
Louise Gagnon, Dt.P. M.Sc., collaboratrice
Odette Navratil, Dt.P. M.Sc., collaboratrice

Nous nous souvenons de l'excellente cuisine que notre mère nous préparait tous les jours. Nous disons bien tous les jours, car les recettes que vous trouverez dans ce livre sont celles de mets que nous avions le bonheur de déguster au quotidien.

Nous avons rarement entendu notre mère dire qu'elle n'avait plus d'idée pour les repas, elle créait constamment de nouvelles recettes ou en modifiait d'autres. Ce n'est certes pas Margot qui a inventé la malbouffe; sans être compliqués, ses plats étaient toujours bien présentés et surtout préparés avec les meilleurs ingrédients.

Nous nous rappellerons toujours ce que mon père disait à ma mère quand il avait bien aimé un de ses plats: «Ne jette pas la recette.» C'est peut-être le fait d'avoir entendu cette phrase pendant près de quarante ans qui a poussé ma mère à écrire trois livres à partir de ces mêmes recettes.

Un autre souvenir qui nous vient à l'esprit: un jour, quand nous étions enfants, un ami de mon père nous a dit: «*Vous êtes chanceux d'avoir une mère qui fait aussi bien à manger; quand on est reçu chez vous, c'est comme souper au Château Frontenac...*» À un jeune âge, c'est impressionnant de se faire dire ça! Il faut dire, aussi, que Margot était du genre à vouloir toujours recevoir la visite, beau temps mauvais temps, malade ou pas. Nous croyons qu'elle tenait cela de sa mère.

Même après notre départ de la maison et le décès de notre père en 1999, notre mère a toujours gardé le goût de la bonne table et le désir de recevoir. Toutes les occasions étaient bonnes pour un bon repas en famille.

Aujourd'hui, Margot, tu nous as quittés. Malheureusement, tu n'auras pas eu le temps de voir ni d'apprécier ton dernier ouvrage.

Nous sommes très fiers de toi et tu nous manques beaucoup.

François et Jean

Préface

Bien qu'au cours des dernières années la science ait fait des progrès spectaculaires dans le diagnostic et le traitement des maladies du cœur et des accidents vasculaires cérébraux, les AVC, les maladies cardiovasculaires sont la première cause de mortalité au pays, et, désormais, autant chez les femmes que chez les hommes.

Le combat n'est donc pas terminé. Huit adultes sur dix ont au moins un facteur de risque de maladies du cœur au Canada. C'est beaucoup trop!

Lorsqu'on se penche sur ces facteurs, on constate que la majorité d'entre eux peuvent être contrôlés, et même modifiés. Parmi eux, l'alimentation joue un rôle majeur dans la santé du cœur.

Avoir une alimentation saine et variée tous les jours peut demander une certaine discipline pour ceux qui n'ont pas acquis cette habitude dès l'enfance. Mais l'effort en vaut le coup. Il est prouvé que des repas nutritifs et équilibrés contribuent à réduire les risques de maladies du cœur et d'AVC tout en aidant à maintenir un poids santé, à réduire la pression artérielle, à contrôler les taux de glycémie et à abaisser le taux de cholestérol.

Bien manger quotidiennement, c'est prendre sa santé en main.

Manger de bon cœur vous offre, en plus d'une variété de recettes faciles à concocter et saines pour le cœur, une section «Enseignement» qui vous soutiendra dans votre démarche de prise en main pour une saine alimentation. Les plats préparés par Margot Brun Cornellier, secondée par une équipe de nutritionnistes, sont savoureux et vous rappelleront, entre autres, la cuisine de votre mère et vous permettront de découvrir certains mets santé d'ici et d'ailleurs.

Cuisiner et bien manger sont des plaisirs qu'il faut se réapproprier.

Croyez-moi, votre cœur vous en remerciera!

Dr Jacques Genest
Cardiologue
Porte-parole de la Fondation des maladies du cœur du Québec

1RE PARTIE
Enseignement

TOUT CE QUE VOUS DEVEZ SAVOIR
SUR LA SANTÉ CARDIOVASCULAIRE

GUIDE POUR UNE SAINE ALIMENTATION

Chapitre 1 Introduction

Vous venez tout juste de vous procurer un nouveau livre de recettes dans le but d'améliorer votre santé. Eh bien oui, vous allez découvrir de nouvelles saveurs, mais manger sainement est tout un défi!

Avec ce guide pour une saine alimentation, nous tenterons de vous faciliter la tâche, en vous fournissant des explications simples et en démystifiant des informations qui vous arrivent de toutes parts et qui viennent souvent semer la confusion dans votre esprit. Les différents chapitres de ce guide, qui a été conçu pour vous, vont vous amener à vous prendre en main sur le plan nutritionnel, pour maintenir ou améliorer votre santé cardiovasculaire et ce, à votre propre rythme.

La maladie cardiovasculaire est due à une multitude de facteurs que nous appelons «facteurs de risque». Au chapitre 2 (p. 18), vous découvrirez que ces derniers se divisent en deux grandes catégories: les facteurs de risque incontrôlables et les facteurs de risque contrôlables. Par la suite, en complétant le tableau 1 (p. 18), vous pourrez déterminer (avec l'aide de votre médecin) votre propre niveau de risque: *faible*, *modéré* ou *élevé*. Si vous vous demandez où se situe votre valeur cible (valeur à atteindre) de bilan lipidique, le tableau 9 (p. 34) au chapitre 3 (p. 33) vous permettra de trouver la valeur qui correspond à votre profil de risque.

Puis nous examinerons au chapitre 4 (p. 35) un tout nouveau concept: le syndrome métabolique. On ne peut parler de la maladie cardiovasculaire sans traiter du syndrome métabolique, qui est de plus en plus reconnu comme un indicateur «précurseur» important de la maladie cardiovasculaire et qui touche une grande partie de la population.

Nous traiterons par la suite au chapitre 5 (p. 38) des règles d'une saine alimentation, plus précisément du guide *Bien manger avec le Guide alimentaire Canadien*. Nous parlerons aussi d'équilibre énergétique ou calorique. Comme nous sommes très conscientes que l'acquisition de nouvelles connaissances ne suffit pas, au chapitre 6 (p. 40), nous traiterons d'une nouvelle approche conçue pour vous aider à bien déterminer votre degré de motivation, ainsi qu'à entreprendre et à renforcer votre changement de comportement alimentaire.

Comme il est souvent difficile d'entreprendre et de maintenir cette démarche sans soutien professionnel, nous vous indiquerons la marche à suivre pour rencontrer une diététiste/nutritionniste, qui est la personne la mieux outillée pour vous soutenir au cours de votre cheminement.

Au chapitre 7 (p. 42), nous traiterons des éléments nutritifs les plus importants pour la santé cardiovasculaire puis des différents acides gras. Vous vous questionnez sur vos besoins énergétiques (caloriques) quotidiens? Vous trouverez au chapitre 8 (p. 62) une méthode facile pour les calculer. Le tableau 13 (p. 64) vous permettra de trouver, en fonction de vos besoins énergétiques et de votre niveau de risque de maladie cardiovasculaire, le nombre de portions quotidiennes recommandées pour chaque groupe d'aliments selon le guide *Bien manger avec le Guide alimentaire canadien* et selon les recommandations actuelles pour la prévention et le traitement des maladies cardiovasculaires. Vous avez probablement lu ou entendu dire que certains facteurs nutritionnels, tels que les antioxydants, la protéine de soja, l'acide folique ou la vitamine B, et les produits phytochimiques, tels que les flavonoïdes, les stanols et les stérols végétaux, pouvaient avoir des effets positifs sur la santé cardiovasculaire. Nous vous fournirons donc au chapitre 9 (p. 66) les informations pertinentes basées sur les recherches les plus récentes à ce sujet. Vous êtes atteint de diabète et vous trouvez difficile de respecter le plan alimentaire qui vous a été suggéré? Nous avons pensé vous simplifier la tâche en indiquant, pour chaque recette de ce livre, le nombre d'échanges pour chacun des groupes d'aliments. Au chapitre 10 (p. 70), vous trouverez une explication claire du système d'échanges, un exemple de menu et des informations sur les agents sucrants et les édulcorants. Des adresses utiles vous sont fournies si vous désirez de plus amples renseignements.

Manger est une activité quotidienne, nous avons pensé au chapitre 11 (p. 76) vous proposer quelques trucs pour planifier vos menus et pour vous guider lors de votre visite en épicerie. Vous aimeriez être éclairé sur la lecture des étiquettes? Nos quelques conseils répondront sûrement à vos questions. Vous avez accumulé, au cours des années, des recettes que vous aimez? Eh bien oui, vous pouvez les conserver! Le chapitre 12 (p. 84) vous dévoile tous les secrets que vous devez savoir pour transformer ces recettes tout en conservant le goût qui vous plaît tant! Si vous aimez manger au restaurant, nous vous invitons à faire des choix éclairés (voir le chapitre 13, p. 88). Vous prenez des anticoagulants, on vous a recommandé d'être vigilant quant à la vitamine K? Le chapitre 14 (p. 93) répond à vos questions sur ce sujet. Si vous vous questionnez à propos de la qualité de votre alimentation, le *Guide d'autoévaluation et d'autoenseignement* (chapitre 15, p. 96) a été conçu pour vous. Il vous donnera des informations détaillées sur une saine alimentation applicable à la population en général et aussi, en guise de prévention, pour les gens porteurs de certains facteurs de risque ou atteints de maladie cardiovasculaire.

Ce guide précieux vous permettra de prendre conscience de votre façon de vous alimenter puis de faire des modifications, s'il y a lieu, et ce, de manière PROGRESSIVE!

Nous vous souhaitons bonne chance dans votre démarche, bonne lecture et bon appétit!

Les nutritionnistes:
Auteure: Thérèse Laberge Samson, Dt.P.
Collaboratrices: Louise Gagnon, Dt.P., M.Sc.
Odette Navratil, Dt.P., M.Sc.

Chapitre 2 # Les facteurs de risque de la maladie cardiovasculaire

On ne peut penser «santé» sans songer à la prévention, car la maladie cardiovasculaire (coronarienne athérosclérotique) se développe progressivement.

Outre les mauvaises habitudes alimentaires, divers facteurs accélèrent le développement de la maladie cardiovasculaire; on les appelle «facteurs de risque». Certains, comme l'âge, le sexe et l'hérédité sont *incontrôlables*. D'autres, par contre, méritent une attention particulière car on peut les *contrôler*. Il s'agit du tabagisme, de l'hypertension artérielle, des dyslipidémies (anomalie des lipides ou gras sanguins), du diabète, de l'obésité et du mode de vie (inactivité physique et diète riche en gras saturés et trans).

TABLEAU 1

LES FACTEURS DE RISQUE

(Encerclez celui ou ceux qui vous concernent)

FACTEURS INCONTRÔLABLES:	FACTEURS CONTRÔLABLES:
Âge*: Homme de plus de 55 ans	Tabagisme
Femme ménopausées	Dyslipidémies (anomalie des lipides
Sexe	ou «gras» sanguins, cholestérol,
Antécédents familiaux	triglycérides élevés, etc.)
Origines ethniques	Diabète
	Obésité-surpoids
	Mode de vie: Inactivité physique
	Alimentation athérogénique
	(riche en gras saturés ou trans)

* Vos risques augmentent avec l' âge. Les hommes âgés de plus de 55 ans et les femmes ménopausées courent davantage de risques de souffrir de maladies du cœur. Avant la ménopause, les femmes courent moins de risques que les hommes.

À titre d'information, il est important de noter qu'il existe d'autres facteurs de risque non conventionnels dont vous entendrez peut-être parler dans des centres spécialisés et qui présentement servent de critères pour un diagnostic plus précis des dyslipidémies (anomalie des lipides ou «gras» sanguins), ce sont: la Lp(a), l'apo B, l'apo A1, etc. Ces éléments permettent de détecter souvent de façon plus précoce les maladies cardiovasculaires.

- Vous avez dans un premier temps déterminé les facteurs de risque qui vous concernent.
- En deuxième lieu, il est important de connaître votre niveau de risque afin de prévenir ou de traiter d'une manière précoce la maladie cardiovasculaire.

Pour y arriver (si vous n'êtes pas diabétique ou n'êtes pas atteint de maladies cardiovasculaires), vous pourrez faire l'exercice ci-dessous et ainsi être en mesure d'établir votre niveau de risque de maladie cardiovasculaire pour les 10 prochaines années, soit:

- Niveau faible (risque de moins de 10 %) ou
- Niveau modéré (risque 10 à 20 %) ou
- Niveau élevé (risque de plus de 20 %)

Ces niveaux peuvent être déterminés grâce à l'utilisation d'un modèle de calcul du risque de maladies coronariennes sur 10 ans (présenté au tableau 2, p. 20). Ce modèle a été conçu, à la suite d'une revue approfondie de la littérature sur les maladies cardiovasculaires, par un groupe de chercheurs canadiens, qui ont établi des lignes directrices (2006) face à l'évaluation globale du risque (en pourcentage) de développer une maladie cardiovasculaire dans les dix prochaines années. Les personnes diabétiques ou qui sont atteintes de maladies cardiovasculaires sont considérées d'emblée avoir un niveau de risque élevé. Nous vous encourageons fortement à faire ce calcul pour mieux déterminer votre niveau de risque personnel. Si vous trouvez l'exercice trop ardu, n'hésitez pas à demander l'aide de votre médecin traitant ou de tout autre professionnel de la santé.

Pour faire ce calcul, il est important:

- de repérer d'abord dans le tableau 2 votre groupe d'âge;
- de connaître votre niveau de cholestérol (demandez à votre médecin traitant);
- de vous identifier comme fumeur ou non-fumeur;
- de connaître votre rapport (cholestérol total) CT/C-HDL (demandez à votre médecin traitant);
- de connaître votre pression systolique (Par exemple: la pression se lit comme suit: 120/80, 120 étant la pression systolique, demandez-la à votre médecin traitant);

- de déterminer pour chaque facteur de risque le nombre de points correspondants;
- d'encercler le nombre de points qui correspond à votre profil;
- de faire la somme de points des cinq facteurs de risque;
- de repérer au bas du tableau 2 (p. 21) le pourcentage correspondant au nombre total de points obtenus.

Ceci déterminera votre niveau de risque cardiovasculaire pour les 10 prochaines années: *élevé* (plus de 20 %), *modéré* (10 à 20 %) ou *faible* (moins de 10 %).

TABLEAU 2

ÉVALUATION GLOBALE DU RISQUE DE LA MALADIE CARDIOVASCULAIRE SUR 10 ANS

HOMMES		FEMMES	
Âge	Points	Âge	Points
20-34	-9	20-34	-7
35-39	-4	35-39	-3
40-44	0	40-44	0
45-49	3	45-49	3
50-54	6	50-54	6
55-59	8	55-59	8
60-64	10	60-64	10
65-69	11	65-69	11
70-74	12	70-74	14
75-79	13	75-79	16

CHOLESTÉROL TOTAL (mmol/L)

Valeur	Âge 20-39	40-49	50-59	60-69	70-79
< 4,14	0	0	0	0	0
4,15-5,19	4	3	2	1	0
5,20-6,19	7	5	3	1	0
6,20-7,2	9	6	4	2	1
> 7,21	11	8	5	3	1

CHOLESTÉROL TOTAL (mmol/L)

Valeur	Âge 20-39	40-49	50-59	60-69	70-79
< 4,14	0	0	0	0	0
4,15-5,19	4	3	2	1	1
5,20-6,19	8	6	4	2	1
6,20-7,2	11	8	5	3	2
> 7,21	13	10	7	4	2

TABAGISME — Points

Âge	20-39	40-49	50-59	60-69	70-79
Non-fumeur	0	0	0	0	0
Fumeur	8	5	3	1	1

TABAGISME — Points

Âge	20-39	40-49	50-59	60-69	70-79
Non-fumeur	0	0	0	0	0
Fumeur	9	7	4	2	1

ÉVALUATION GLOBALE DU RISQUE DE LA MALADIE CARDIOVASCULAIRE SUR 10 ANS (suite)

HOMMES				FEMMES		

CHOLESTÉROL C-HDL

HOMMES	Points			FEMMES	Points	
< 1,55	-1			< 1,55	-1	
1,30-1,54	0			1,30-1,54	0	
1,04-1,29	1			1,04-1,29	1	
> 1,04	2			> 1,04	2	

PRESSION ARTÉRIELLE SYSTOLIQUE

(mmHg)	Non traitée	Traitée		(mmHg)	Non traitée	Traitée
< 120	0	0		< 120	0	0
120-129	0	1		120-129	1	3
130-139	1	2		130-139	2	4
140-159	1	2		140-159	3	5
> 160	2	3		> 160	4	6

TOTAL POINTS DE RISQUE	% RISQUE			TOTAL POINTS DE RISQUE	% RISQUE
0	1			9	1
1	1			9	1
2	1			10	1
3	1			11	1
4	1			12	1
5	2			13	2
6	2			14	2
7	3			15	3
8	4			16	4
9	5			17	5
10	6			18	6
11	8			19	8
12	10			20	11
13	12			21	14
14	16			22	17
15	20			23	22
16	25			24	27
> 17	> 30			> 25	> 30

Mon niveau de risque sur 10 ans est de _____%.   Mon niveau de risque sur 10 ans est de_____%.

Notez que si votre histoire familiale est positive (avec antécédents familiaux de maladie cardiovasculaire), vous devez multiplier le risque par deux.

Maintenant que vous connaissez votre niveau de risque, nous regarderons ensemble les deux grandes catégories de facteurs de risque:

LES FACTEURS DE RISQUE INCONTRÔLABLES

Ce sont ceux pour lesquels on ne peut rien changer et qui, malgré tout, doivent être pris en considération:

L'âge

le risque de maladies coronariennes augmente avec l'âge. La raison principale est due au fait que les personnes âgées sont plus sujettes à l'athérosclérose (dépôts de cholestérol dans les artères) que les personnes plus jeunes.

Le sexe

Les hommes âgés de plus de 55 ans et les femmes ménopausées courent davantage de risques de souffrir de maladies du cœur. Avant la ménopause, les femmes courent moins de risques que les hommes.

Les antécédents familiaux

Une histoire familiale positive face à maladie cardiovasculaire chez la famille proche (parents, frère, sœur) est considérée comme un facteur de risque. Une hérédité positive demande à être évaluée avec beaucoup de vigilance, surtout lorsqu'elle est présente chez des individus plus jeunes et lorsqu'elle touche un grand nombre d'individus.
Il faut parfois aller plus loin que les apparentés du premier degré, surtout lorsqu'ils sont jeunes ou sont décédés d'autres causes (accident, cancer). Souvent une hérédité positive est aussi associée à des *facteurs de risque contrôlables* (voir ci-après).
En résumé, l'hérédité est un facteur de risque qui doit être pris en considération dans la détermination de votre niveau de risque.

L'origine ethnique

Les Autochtones ainsi que les personnes d'origine africaine ou sud-asiatique sont plus susceptibles de souffrir d'hypertension artérielle et de diabète. Elles sont donc davantage exposées aux maladies du cœur et aux AVC que la population en général.

LES FACTEURS DE RISQUE CONTRÔLABLES

Ce sont ceux que l'on peut changer:

Le tabagisme

La cigarette a plusieurs effets nocifs: elle diminue la quantité d'oxygène disponible et nécessaire au fonctionnement du cœur; elle entraîne la fixation de corps gras sur la paroi des artères, elle contribue au développement de l'athérosclérose; elle provoque une élévation de la pression artérielle et une accélération de la fréquence cardiaque. À d'autres niveaux, elle est responsable des maladies pulmonaires chroniques, cancers du poumon et de la vessie. Il est important de noter que le gain de poids causé fréquemment par l'arrêt de la cigarette est moins nocif pour la santé que l'usage de la cigarette. Associée à d'autres facteurs de risque, la cigarette multiplie les risques de maladies cardiovasculaires. Elle doit donc être évitée à tout prix.

Le stress

Bien que le stress puisse parfois être une bonne chose, trop de stress peut vraiment nuire à votre santé et faire augmenter vos risques de maladies du cœur et d'AVC. Le lien entre le stress, les maladies du cœur et les AVC n'est pas entièrement compris, mais certaines personnes très stressées, ou stressées pendant de longues périodes, peuvent afficher un taux de cholestérol plus élevé, une tension artérielle plus haute et être plus sujettes à l'athérosclérose (rétrécissement des artères).

L'hypertension artérielle

La pression artérielle est la force exercée sur les parois des artères par le sang. Une pression artérielle constamment trop élevée force le muscle cardiaque à effectuer un travail plus grand et, en même temps, accélère le développement de l'athérosclérose dans les artères du cœur, du cerveau, des reins et des yeux.

Une alimentation riche en sel peut augmenter la pression artérielle; par conséquent, il est recommandé d'en limiter la consommation et celle d'aliments riches en sel. Vous faciliterez ainsi le contrôle de votre pression artérielle et réduirez les effets secondaires parfois associés à l'usage de médicaments destinés à réduire la pression. Vous trouverez au chapitre 7 (p. 42) une explication sur le sodium et les modifications alimentaires face à la consommation de sel. Si vous désirez approfondir le sujet, il est suggéré de vous procurer le livre intitulé *Mon guide nutritionnel pour prévenir et traiter l'hypertension artérielle* en librairie, en téléphonant au (450) 464-3166, ou en le commandant par le biais du site Internet de la Société québécoise d'hypertension artérielle: www.hypertension.qc.ca.

L'hypercholestérolémie

L'hypercholestérolémie, ou augmentation du taux de cholestérol dans le sang, est décelée par une prise de sang qu'on appelle «bilan lipidique». Ce bilan révèle d'abord le taux de cholestérol total (CT), mais il donne également des informations au sujet du mauvais cholestérol (C-LDL), du bon cholestérol (C-HDL), des triglycérides (TG) et du rapport CT (cholestérol total)/C-HDL (bon cholestérol). Ce rapport s'appelle «indice athérogénique».

- **Le cholestérol sanguin**

   Le cholestérol sanguin est une substance cireuse normalement produite par l'organisme. Le cholestérol est un constituant essentiel de l'organisme humain, où il a plusieurs fonctions: il fait partie intégrante de la structure de toutes les cellules, c'est un élément essentiel de la bile, il entre dans la composition des hormones sexuelles et de la vitamine D. Cependant, c'est lorsque le taux de cholestérol circulant dépasse certaines valeurs qu'il devient important de s'en préoccuper. Le cholestérol circule dans les vaisseaux sanguins sous les formes suivantes: le «bon» cholestérol (HDL) et le «mauvais» cholestérol (LDL) et (VLDL). Les gras, quels qu'ils soient, ne peuvent pas circuler librement dans le sang. Ils ont besoin d'un transporteur qu'on appelle lipoprotéine (gras et protéine). Cette protéine qui transporte les graisses peut être de haute densité (HDL) ou de basse densité (LDL).Vous trouverez au chapitre 3 «Bilan lipidique» (p. 33) de ce manuel les valeurs de référence (valeurs normales) du cholestérol pour votre niveau de risque. Le chapitre 7 (p. 42) propose des modifications à apporter à votre comportement alimentaire pour diminuer votre cholestérol alimentaire. N'hésitez pas à remplir le «Guide d'autoévaluation et d'autoenseignement» du chapitre 16 (p. 96).

- **Le C-HDL («bon cholestérol»)**

   Le C-HDL («bon cholestérol») transporte l'excès de cholestérol au foie pour le transformer et l'éliminer de l'organisme. Plus le taux de C-HDL est élevé, plus vos artères ont des chances de rester saines.

TABLEAU 3

FACTEURS INFLUENÇANT LE TAUX DE C-HDL («bon cholestérol»)

C-HDL ÉLEVÉ	C-HDL DIMINUÉ
Hérédité	Hérédité
Sexe (femme)	Sexe (homme)
Poids santé	Obésité
Non-fumeurs	Tabagisme
Exercice	Sédentarité
	Triglycérides élevés
	Diabète de Type 2
	Médicaments, tels les corticostéroïdes, les bêta-bloqueurs

Vous trouverez au chapitre 3 «Bilan lipidique» (p. 33) les valeurs cibles (à atteindre) ou valeurs de référence (valeurs normales) du C-HDL («bon cholestérol») pour votre niveau de risque.

- **Le C-LDL («mauvais cholestérol»)**

Contrairement au C-HDL «bon cholestérol», le C-LDL «mauvais cholestérol» origine du foie et assure le transport du cholestérol vers la cellule. Il peut être responsable du dépôt de cholestérol dans les artères lorsque son niveau est trop élevé, ou que sa structure est modifiée, ou encore que la paroi des vaisseaux sanguins est abîmée. La plupart des gens qui ont un niveau élevé de cholestérol dans le sang ont surtout un niveau élevé de C-LDL («mauvais cholestérol»). Pour réduire ce dernier, on doit réduire l'apport en gras saturés et en gras trans de son alimentation. Vous trouverez au chapitre 3 (p. 33) les valeurs cibles (à atteindre) ou valeurs de référence (valeurs normales) du C-LDL («mauvais cholestérol») pour votre niveau de risque.

- **Les triglycérides**

Les triglycérides sont en quelque sorte la réserve de lipides (ou gras) du corps humain. Ce sont eux qui «emmagasinent» les excédents de calories, de sucres et de graisses. Ils augmentent en présence d'embonpoint et d'une alimentation riche en sucres, en alcool et en gras. L'exercice contribue à diminuer le taux de triglycérides sanguins. La valeur cible (à atteindre) ou valeur de référence pour les triglycérides est de moins de 1,7.

Le diabète

Le diabète est un débalancement ou un désiquilibre du métabolisme du sucre. Il en existe de deux types: le diabète de type 1 et le diabète de type 2. Le diabète de type 1 est une maladie qui se développe lorsqu'il n'y a plus d'insuline. C'est une maladie qui apparaît à l'enfance ou à l'adolescence. L'insuline est une hormone responsable de l'équilibre du taux de sucre sanguin (glycémie) au moment des repas et entre ceux-ci. Cette absence d'insuline est due à la destruction progressive du pancréas par des anticorps et doit être traitée par une médication et par l'adoption d'un régime alimentaire particulier. Dans le diabète de type 2, la quantité d'insuline peut être déficiente ou produite en quantité suffisante et même de façon excessive, mais la résistance à l'action de l'insuline, une obésité, un apport alimentaire inadéquat ou certains médicaments la rendent inefficace. Le surplus de sucre sanguin qui en résulte favorise l'encrassement des artères. Comme le diabète demande une approche spéciale, vous trouverez au chapitre 10 (p. 70) de ce manuel une explication plus détaillée de l'approche nutritionnelle.

L'obésité

Lorsque nous traitons d'obésité ou d'embonpoint, il est important de parler en premier lieu de poids santé. Le poids santé est évalué à partir de certains critères, soit l'indice de masse corporelle (IMC) ou le tour de taille. L'embonpoint et l'obésité sont donc évalués à partir de ces mêmes critères.

▪ Le poids santé

Le poids santé n'est pas un poids en particulier que vous devez chercher à atteindre ou à maintenir. Il s'agit plutôt d'un éventail de poids réalistes en fonction d'une grande variété de silhouettes. Le poids santé est avant tout une question de santé et de bien-être, et non seulement une question d'apparence. Comment définir les limites de la maigreur et de l'obésité? Le poids est un indicateur du risque de développer certaines maladies, mais ce n'est pas l'unique facteur. En effet, il est primordial de considérer d'autres aspects, tels que l'historique familial et les habitudes de vie, qui sont directement associés à la santé. Ainsi, pour vérifier le risque d'apparition de maladies en rapport avec le poids, on a recours à l'indice de masse corporelle (IMC) et au tour de taille.

TABLEAU 4

LE POIDS SANTÉ — MÉTHODE POUR L'ÉVALUER

TAILLE		POIDS MINIMUM		POIDS MAXIMUM	
Impérial	Métrique	lb	kg	lb	kg
5 pi	1,52 m	101	46	127	56
5 pi 1 po	1,55 m	105	49	132	60
5 pi 2 po	1,58 m	110	50	136	62
5 pi 3 po	1,60 m	112	51	141	64
5 pi 4 po	1,64 m	119	54	147	67
5 pi 5 po	1,66 m	121	55	152	69
5 pi 6 po	1,68 m	123	56	156	71
5 pi 7 po	1,70 m	129	59	160	73
5 pi 8 po	1,74 m	134	61	167	76
5 pi 9 po	1,76 m	136	62	169	77
5 pi 10 po	1,78 m	138	63	174	79
5 pi 11 po	1,81 m	144	65	180	82
6 pi	1,84 m	150	68	187	85
6 pi 1 po	1,86 m	154	70	191	87

1 kg = 2,2 lb

TABLEAU 5

CALCUL DU POIDS SANTÉ

Votre poids actuel	Votre taille	Votre échelle de poids santé		Votre poids santé
		Minimum	maximum	
_____	_____	_____	_____	_____

Pesée: 1 fois par semaine

Date:_____

Poids:_____

Dans un premier temps, il est important d'évaluer votre indice de masse corporelle à l'aide du tableau 4 (p. 27).

Par la suite, mesurez votre tour de taille par les méthodes suggérées. Pour visionner une vidéo sur la prise adéquate du tour de taille, visiter le site de la Fondation des maladies du cœur du Québec au www.fmcoeur.qc.ca. À l'aide du tableau 6 présenté ci-dessous, vous pourrez facilement déterminer si vous présentez ou non un surpoids ou une obésité en fonction de votre indice de masse corporelle.

- **L'indice de masse corporelle (IMC)**

Il existe différentes catégories de poids classées selon les risques pour la santé. Par conséquent, à chaque individu, selon sa taille, correspond un intervalle de poids dans lequel il peut se situer et où les risques de développer des problèmes de santé liés au poids sont moindres. Pour déterminer si votre poids présente des risques pour votre santé, il faut d'abord calculer votre indice de masse corporelle (IMC). L'IMC tient compte de votre poids par rapport à votre taille.

Pour savoir si vous vous situez dans l'intervalle du poids santé, il suffit de:

1. Repérez votre taille dans la colonne de gauche du tableau 4, p. 27.

2. Vérifiez, sur la même ligne, si votre poids se situe entre le minimum et le maximum acceptables.

TABLEAU 6

CLASSIFICATION DES RISQUES POUR LA SANTÉ EN FONCTION DE L'IMC (indice de masse corporelle)

Classification	Catégorie de l'IMC (kg/m2)	Risque de développer des problèmes de santé	Mon IMC	Mon risque
Poids insuffisant	moins de 18,5	Élevé	_____	_____
Poids normal	18,5 à 24,9	Peu élevé	_____	_____
Surpoids	25,0 à 29,9	Élevé	_____	_____
Obésité	plus de 30	Très élevé	_____	_____

Note: Dans le cas des personnes de 65 ans et plus, l'intervalle «normal» de l'IMC peut s'étendre d'une valeur légèrement supérieure à 18,5 jusqu'à une valeur située dans l'intervalle excès de poids.

Vous pouvez également connaître votre poids santé moyen en additionnant le minimum et le maximum des poids correspondant à votre taille, et en divisant ce résultat par 2. Si votre poids est en dessous du minimum de la norme inscrite sur le tableau, il est important d'en vérifier l'origine: petite ossature, maladie, alimentation déficiente. Discutez-en avec votre médecin car vous vous exposez peut-être à développer des problèmes de santé.

Si votre poids est au-dessus de la norme, les risques que vous soyez affecté par des problèmes de santé, tels que les maladies du cœur, l'hypertension et le diabète, l'arthrose des membres inférieurs et les douleurs aux hanches, aux genoux et aux chevilles, sont plus élevés. L'obésité limite la qualité de vie, la marche, la possibilité de voyager... N'espérez pas corriger cette situation en 24 heures. Nous vous proposons plutôt de vous donner du temps et de procéder graduellement, et surtout de ne pas hésiter à demander à votre médecin traitant une aide professionnelle, soit une consultation en nutrition.

Il est important de retenir que le résultat de votre IMC est davantage l'indicateur que vous devez vous prendre en main qu'un poids que vous devez atteindre.

Vous pouvez également calculer votre IMC à l'aide de la formule suivante (notez que votre poids doit être exprimé en kilogrammes et votre taille en mètre)

IMC = poids (kg) ÷ taille (m²)

Exemple: Si mon poids est de 55 kg et ma taille de 1,66 mètres, je calcule ainsi:

poids: 55 kg ÷ taille: 2,75 m² (soit 1,66 m X 1,66 m)

Réponse: IMC = 20

Les limites de l'interprétation de l'IMC

Le calcul de l'IMC présente toutefois plusieurs limites. En effet, il n'évalue pas la répartition du gras corporel. De plus, l'IMC peut s'avérer inexact chez certains groupes de la population comme:

- Les personnes naturellement très minces et très musclées;
- Les personnes très grandes ou très petites;
- Certains groupes ethniques ou raciaux;
- Les personnes âgées de plus de 65 ans.

Noter que ces tableaux de poids santé et d'IMC ne s'appliquent pas aux jeunes de moins de 18 ans.

À l'aide du tableau ci-dessous, vous pourrez aussi déterminer si vous présentez ou non un surplus de poids abdominal en fonction de votre tour de taille.

Le tour de taille

Le tour de taille est un indicateur important du risque pour la santé. Les seuils du tour de taille permettent de déterminer le risque associé au dépôt de graisse (abdominale). Plusieurs études ont démontré que la localisation du surplus de poids est un élément important à considérer dans l'évaluation des risques* pour la santé. En effet, l'accumulation de graisse autour de l'abdomen est plus dommageable pour la santé qu'une accumulation aux cuisses et aux hanches. Les limites du tour de taille sont fixées en fonction du sexe:

TABLEAU 7

MESURE DU TOUR DE TAILLE

Mon tour de taille est

Limite supérieure:

Hommes: tour de taille plus de 102 cm (40 po) **   _____

Femmes: tour de taille plus de 88 cm (35 po) **   _____

À l'aide d'un mètre à ruban, le tour de taille se mesure entre la dernière côte et la partie supérieure de l'os du bassin (pli de la couturière).

** Les personnes d'origine chinoise ou sud-asiatique ont une limite supérieure différente: hommes plus de 90 cm (35 po), femmes plus de 80 cm (32 po).

Au-delà de ces chiffres, les risques pour la santé sont plus élevés. Pour mieux déterminer les risques pour la santé, il est possible de combiner l'IMC avec la mesure du tour de taille. En effet, certaines personnes peuvent présenter un IMC normal, mais avoir un tour de taille plus élevé que le seuil établi et vice-versa.

En utilisant ces deux mesures, on aura une idée plus précise du risque que notre poids représente pour notre santé. Rappelons que la mesure du tour de taille et celle de l'IMC ne sont que deux outils pour déterminer les risques pour la santé.

---

* Risque de diabète de type 2, de dyslipidémies (anomalie des lipides ou «gras» sanguins) et d'hypertension et de maladies coronariennes.

TABLEAU 8

CLASSIFICATION DES RISQUES POUR LA SANTÉ EN FONCTION DU TOUR DE TAILLE ET DE L'IMC (indice de masse corporelle)

TOUR DE TAILLE	NORMAL	EXCÈS DE POIDS	OBÉSITÉ
IMC:	(18,5-24,9)	(25,0-29,9)	(30 ou plus)
Moins de 102 cm (hommes) Moins de 88 cm (femmes)	Risque moindre	Risque accru	Risque élevé
102 cm ou plus (hommes) 88 cm ou plus (femmes)	Risque accru	Risque élevé	Risque très élevé

J'encercle la catégorie où je me situe: _____

Mon niveau de risque est: _____

Un professionnel de la santé pourra mieux évaluer l'état de santé général en tenant compte de l'histoire familiale et des habitudes de vie, ainsi que de divers paramètres cliniques.

Toutes les études démontrent bien qu'un excès de poids, si léger soit-il, peut représenter un facteur de risque de maladies cardiovasculaires mais aussi de diabète, d'hypertension artérielle et de dyslipidémies (anomalie des lipides ou «gras» sanguins). Par contre, il est bien démontré qu'une perte de poids modeste de 5 à 10 % (4 kilos ou 10 lb) peut suffire pour réduire le risque de développer ces mêmes maladies, même si le poids santé n'est pas atteint.

Le mode de vie

Le mode de vie comprend l'activité physique et l'alimentation. Il est démontré que l'inactivité physique et une mauvaise alimentation ont un effet dévastateur sur la santé cardiovasculaire.

- L'inactivité physique est associée à un taux plus élevé de maladies cardiovasculaires. En contrepartie, l'activité physique pratiquée sur une base régulière peut améliorer votre santé cardiovasculaire. Elle contribue à la diminution des niveaux de LDL (mauvais cholestérol), des triglycérides sanguins, élève les HDL (bon cholestérol), améliore la sensibilité de l'insuline et diminue la pression artérielle et l'obésité. Elle contribue aussi à diminuer le stress, à contrôler le poids et facilite un meilleur sommeil. Il est important de la pratiquer régulièrement. L'intensité et la durée varient selon les capacités et les besoins de chacun. Il est par contre recommandé d'en faire au moins 30 minutes par jour et ce, le plus possible, tous les jours. En prime, vous vous sentirez mieux dans votre peau! Nous vous recommandons fortement de communiquer avec votre CLSC pour vous procurer le *Guide d'activité physique canadien pour une vie active saine.*

- L'alimentation athérogénique: il est clairement démontré qu'une alimentation élevée en calories, en gras saturés, en gras trans, en sucres concentrés et en sel a un effet négatif sur la santé cardiovasculaire. Ce type d'alimentation contribue à l'augmentation des niveaux de C-LDL (mauvais cholestérol), des triglycérides sanguins, diminue les C-HDL (bon cholestérol), augmente la pression artérielle et contribue au diabète et à l'obésité. Une alimentation riche en fruits, en légumes, en fibres, en acides gras insaturés, produit l'effet contraire.

Nous avons fait ensemble une bonne révision des différents facteurs de risque de la maladie cardiovasculaire. À l'aide du tableau 2 (p. 20) des facteurs de risque, vous avez aussi pu déterminer votre niveau de risque:

Niveau faible (risque inférieur à 10 %) _____
ou
Niveau modéré (risque 10 à 20 %) _____
ou
Niveau élevé (risque supérieur à 20 %) _____

Nous allons regarder ensemble le bilan lipidique et tenter d'en comprendre sa signification.

Chapitre 3   Valeurs cible du bilan lipidique

L e bilan lipidique est obtenu à la suite d'une prise de sang faite après un jeûne de 10 à 12 heures. Les éléments qui en ressortent sont les suivants:

- CT (cholestérol total)
- C-LDL («mauvais cholestérol»)
- C-HDL («bon cholestérol»)
- Ratio: CT/C-HDL
- Triglycérides

Les valeurs cibles (valeurs à atteindre, aussi appelées valeurs de référence, ou valeurs normales) pour le bilan lipidique varient d'un individu à un autre selon que vous soyez à risque *élevé*, *modéré* ou *faible*. Il est important de bien déterminer votre niveau de risque et ce, après avoir rempli le tableau au chapitre 2 (p. 20) de ce document. Votre médecin traitant pourra aussi vous aider, donc n'hésitez pas à lui demander vos résultats de bilan lipidique et des explications sur son contenu.

Comme la valeur cible (à atteindre) du bilan lipidique est établie en fonction des autres facteurs de risque, nous avons choisi de vous la présenter à cette étape-ci du document.

Les éléments majeurs du bilan lipidique qui sont retenus pour évaluer les valeurs cibles pour chaque catégorie de risque sont les suivants:

- C-LDL («mauvais cholestérol»)
- Rapport (ratio) CT (cholestérol total)/C-HDL («bon cholestérol»)

TABLEAU 9

CATÉGORIES DE RISQUES ET VALEURS CIBLES LIPIDIQUES

CATÉGORIES DE RISQUES	CIBLES LIPIDIQUES		
	C-LDL (mmol/L)		Ratio CT/C-HDL (mmol/L)
Élevé*			
> 20 % du risque sur 10 ans ou diabète ou maladie cardiovasculaire	< 2,5	ou	< 4,0
Modéré			
10 à 20 % de risque sur 10 ans	< 3,5	ou	< 5,0
Faible			
< 10 % du risque sur 10 ans	< 4,5	ou	< 6,0

Légende

> : plus grand que

< : plus petit que

C-LDL: («mauvais cholestérol»).

CT: cholestérol total.

C-HDL: bon cholestérol.

Ratio: On divise le cholestérol total par le C-HDL.

* Comprend les personnes qui ont une maladie cardiovasculaire non contrôlée, les diabétiques d'âge adulte, les individus souffrant d'une insuffisance rénale chronique et les individus qui ont une maladie cardiovasculaire contrôlée.

Ma valeur cible de C-LDL (mauvais cholestérol) est: _____.

Ma valeur cible de Ratio CT (cholestérol total/C-HDL («bon cholestérol») est: _____.

Mon niveau de risque est élevé: _____.

modéré: _____.

faible: _____.

Il est à noter que l'âge compte pour beaucoup dans l'estimation du risque. Ainsi, un individu jeune peut avoir un risque calculé faible (pour 10 ans) mais tout de même être à risque et avoir besoin d'un traitement.

Chapitre 4 Le syndrome métabolique

DÉFINITION DU SYNDROME MÉTABOLIQUE

Le syndrome métabolique touche un pourcentage de plus en plus élevé d'individus en Amérique du Nord. Le syndrome métabolique n'est pas une maladie spécifique, mais un ensemble d'éléments et il est associé plutôt à un mauvais métabolisme corporel. Détecté et traité à un stade précoce, il permet de prévenir des maladies comme l'hypertension, le diabète de type 2, les dyslipidémies (anomalie des lipides ou «gras» sanguins) et les maladies cardiovasculaires. Ce syndrome est caractérisé par la présence d'une constellation de facteurs de risque. Les éléments majeurs de ce syndrome sont:

- l'obésité ou le surplus de poids abdominal;
- l'inactivité physique;
- les facteurs génétiques.

Le syndrome métabolique est très étroitement associé à un désordre métabolique appelé *la résistance à l'insuline*, phénomène par lequel la réponse de la cellule à l'action normale de l'insuline est inadéquate. Le surpoids et l'inactivité physique activent la résistance à l'insuline. La majorité des personnes qui ont une résistance à l'insuline ont une obésité abdominale (tour de taille au-dessus des valeurs normales). La relation entre la résistance à l'insuline et tous les facteurs de risque métaboliques est complexe. Une variété de facteurs de risque sont présents dans le syndrome métabolique, la liste ci-dessous contient les facteurs qui sont généralement reconnus comme caractéristiques de ce syndrome, soit:

- Obésité abdominale (tour de taille au-dessus des valeurs normales);
- Hypertension artérielle;
- Résistance à l'insuline (glycémie légèrement élevée);
- Taux élevé de triglycérides sanguins;
- Faible taux de cholestérol C- HDL (bon cholestérol).

La présence de trois de ces facteurs est nécessaire pour porter le diagnostic du syndrome métabolique. Les individus présentant ce syndrome auraient trois fois plus de risques de développer une maladie cardiovasculaire et quatre fois plus de risques de développer un diabète.

TRAITEMENT DU SYNDROME MÉTABOLIQUE

Il y a différentes approches pour traiter le syndrome métabolique.

La première approche est de modifier les causes, soit de traiter l'obésité et l'inactivité physique, ce qui atténue les facteurs de risque métaboliques. Il est fortement recommandé d'utiliser cette approche comme base et la deuxième approche en complément.

La deuxième approche est de traiter directement les facteurs de risque métaboliques, soit l'hypertension artérielle, la dyslipidémie (anomalie des lipides ou «gras»sanguins), la résistance à l'insuline (glycémie élevée). Afin de bien vous situer face au syndrome métabolique, parlez-en à votre médecin et demandez-lui vos valeurs de pression artérielle, de votre glycémie à jeun, de votre taux de C-HDL (bon cholestérol) et de triglycérides.

Les objectifs du traitement du syndrome métabolique sont d'atteindre les cibles suivantes:

TABLEAU 10

OBJECTIFS À ATTEINDRE DANS LA PRISE EN CHARGE DU SYNDROME MÉTABOLIQUE

TOUR DE TAILLE (CIRCONFÉRENCE ABDOMINALE):		J'écris mes valeurs actuelles
Homme	< 102 cm (40 po)	_____
Femme	< 88 cm (35 po)	_____
Pression artérielle	< 120/80 mmHg	_____
Glycémie à jeun (taux de sucre)	< 6,0 mmol/L	_____
C-LDL (mauvais cholestérol)	< 2,5 mmol/L	_____
C-HDL (bon cholestérol)		
Homme	> 1,0 mmol/L	_____
Femme	> 1,3 mmol/L	_____
Triglycérides	< 1,7 mmol/L	_____

Légende
> : plus grand que
< : plus petit que

À la suite de ce constat, comme on le mentionnera tout au long de cet ouvrage, si vous vous rendez compte qu'une de ces valeurs est au-dessus ou en dessous des niveaux ci-haut mentionnés, il sera important d'en discuter avec votre médecin traitant. Il vous faudra d'abord modifier votre alimentation à l'aide de ce livre et ensuite lui demander de vous adresser à une diététiste/nutritionniste.

Chapitre 5 Alimentation équilibrée

BIEN MANGER AVEC LE GUIDE ALIMENTAIRE CANADIEN

Avant de penser à modifier vos habitudes alimentaires, en prévention ou face à
une maladie cardiovasculaire, il est primordial au départ de vous assurer que votre
alimentation est bien équilibrée. Rejoint-elle les recommandations du guide *Bien
manger avec le Guide alimentaire canadien*? Ce guide est conçu pour aider les
Canadiens à faire des choix avisés en matière d'alimentation. Il convertit la science
de la saine alimentation en un modèle pratique de choix alimentaires qui répond aux
besoins de chacun en éléments nutritifs, qui favorise la santé et réduit le risque de
maladies chroniques liées à la nutrition. Il répartit les aliments en quatre groupes:

- les légumes et les fruits;
- les produits céréaliers;
- le lait et substituts;
- les viandes et substituts.

Le guide *Bien manger avec le Guide alimentaire canadien* propose un nombre de
portions pour chaque groupe d'aliments en fonction du groupe d'âge et du sexe. Une
combinaison optimale d'aliments et d'activités physiques vous aidera à vous sentir
mieux et à conserver un poids santé. Il est important de varier son alimentation, de
donner une large place aux légumes et fruits et aux produits céréaliers. Optez pour des
produits laitiers moins gras, des viandes plus maigres et au moins deux portions de
poisson par semaine préparés avec peu ou pas de matières grasses. Lorsque vous
consommez du sel, du café ou de l'alcool, faites-le avec modération. L'alimentation est
un plaisir. Les aliments égayent les réunions de famille ou entre amis. Les aliments
nourrissent votre corps. Ils vous apportent l'énergie dons vous avez besoin pour la
journée. Vous n'avez pas à vous priver de vos aliments préférés pour être en bonne
santé. Mais vous avez besoin de baser vos choix sur la variété et la modération.
N'hésitez pas aussi à consulter le guide *Bien manger avec le Guide alimentaire
canadien* en ligne: www.santecanada.gc.ca/guidealimentaire ou à contacter votre CLSC
pour vous en procurer un exemplaire.

ÉQUILIBRE ÉNERGÉTIQUE

On entend souvent parler «d'équilibre énergétique», mais sait-on vraiment ce que cela signifie? Il s'agit simplement de la relation entre la consommation d'aliments et de liquides (apport énergétique ou calorique), d'une part, et l'utilisation de cette énergie (calories) par la dépense physique (respirer, digérer et dormir) et l'activité physique (dépense énergétique ou calorique) d'autre part.

L'apport total d'énergie doit être suffisant pour maintenir un poids santé et pour permettre une consommation variée d'aliments. Si nous consommons plus de calories que nous en dépensons, ce déséquilibre se traduira par un gain de poids; peu importe l'aliment pris en excès. Inversement, si nous dépensons plus de calories que nous en ingérons, une perte de poids en découlera. Vous avez des questions à ce sujet? Votre poids vous préoccupe-t-il? Vous trouverez réponse à vos questions en consultant le chapitre 2 (p. 18) de cet ouvrage. Remplissez le «Guide d'autoévaluation et d'autoenseignement» au chapitre 16 (p. 96) et demandez à votre médecin traitant de vous référer à une diététiste/nutritionniste qui révisera avec vous votre profil alimentaire, vous guidera vers une alimentation conforme aux recommandations actuelles pour les maladies cardiovasculaires (chapitre 7, p. 42) et vous soutiendra dans votre démarche de perte de poids, s'il y a lieu.

Chapitre 6 # Modification du comportement alimentaire

L'IMPORTANCE DU NIVEAU DE MOTIVATION

La lecture de ce livre vous permettra d'acquérir de nouvelles connaissances et aura peut-être comme effet de vous donner le goût de modifier vos habitudes alimentaires et d'essayer de nouvelles recettes. Par contre, vous avez peut-être tenté dans le passé de modifier certaines habitudes alimentaires acquises depuis longtemps, sans réussir à maintenir les nouvelles. Le degré de motivation est un facteur primordial. Vous êtes souvent plus ou moins conscient de votre degré de motivation à modifier des comportements et cela devient une embûche pour passer à l'action. Certains facteurs extérieurs, tels que responsabilité face à la préparation des repas familiaux, fréquence des repas pris à l'extérieur, manque de temps, peuvent vous apparaître comme des difficultés infranchissables. L'ampleur des modifications alimentaires à apporter dépendra beaucoup de vos habitudes alimentaires actuelles et de votre état de santé cardiovasculaire.

Il est de plus en plus reconnu qu'avant d'entreprendre un changement et de pouvoir le maintenir, il est important de bien déterminer à quel stade de motivation au changement vous vous situez. Nous vous présentons les différents stades selon la méthode de Prochaska et, si vous le désirez, nous vous invitons à déterminer votre niveau de motivation:

TABLEAU 11

DÉTERMINATION DU NIVEAU DE MOTIVATION

JE DÉTERMINE MON NIVEAU DE MOTIVATION:	Écrivez oui ou non:
Pré-contemplation: Vous niez (ou ne croyez pas) que votre comportement est problématique. Vous ne percevez pas les avantages que vous procurerait la modification de l'habitude.	_____
Contemplation: Vous êtes ambivalent face à la perception que le changement d'habitude procurerait: autant d'avantages que de désavantages.	_____
Préparation: Vous êtes convaincu des avantages liés au changement.	_____

Action: vous changez votre comportement. _____

Maintien: vous maintenez votre comportement pendant
6 mois, après être passé à l'action. _____

Rechute: Vous reprenez votre comportement problématique.
Attention, ce n'est pas un échec. Cette étape fait partie intégrante
du cheminement et doit être considérée comme source
d'apprentissage pour mettre en place des mesures de protection. _____

Si vous n'avez que quelques changements à apporter et que votre niveau de
motivation est très élevé, il est fort probable que vous pourrez y arriver seul. Par
contre, si vous devez entreprendre des modifications importantes, n'hésitez pas
à consulter une diététiste/nutritionniste car elle pourra:

- vous soutenir d'une manière positive et efficace dans votre changement de
  comportements;
- évaluer ou valider votre degré de votre motivation au changement;
- vous aider à accroître votre motivation et à surmonter les barrières au
  changement;
- vous soutenir dans un passage à l'action qui sera définitif.

La décision de modifier une habitude de vie est le résultat d'un cheminement
naturel qui se fait par étapes sur une période plus ou moins longue. Chacune des
étapes constitue la fondation de l'étape suivante. Le rôle de la diététiste/nutritionniste
consiste donc essentiellement à reconnaître, à renforcer et à accélérer le cheminement
naturel à travers ces étapes.

Vous pouvez demander à votre médecin traitant (médecin de famille) de vous référer
à une diététiste/nutritionniste. Si vous détenez une assurance pour les soins de santé,
privée ou offerte par l'employeur, il est important de vérifier si les services de
consultation nutritionnelle sont remboursés en totalité ou en partie.

Chapitre 7 # Éléments nutritifs ayant un impact direct sur la santé cardiovasculaire

LES ÉLÉMENTS NUTRITIFS

Dans ce chapitre, nous traiterons des différents éléments nutritifs qui ont un impact sur la santé cardiovasculaire, soit:

- les lipides: cholestérol, gras saturés, gras trans, gras polyinsaturés, gras oméga-3, gras monoinsaturés;
- les protéines;
- les glucides;
- les fibres alimentaires;
- le sel;
- l'alcool.

Nous décrirons d'abord chacun de ces éléments. Nous aborderons également les recommandations en termes de pourcentage de l'apport total d'énergie et regarderons ensemble les recommandations alimentaires pour chacun des éléments. Des études scientifiques récentes ont mis en évidence le rôle important que joue la nutrition dans la santé cardiovasculaire.

Les lipides

Les lipides, aussi appelés gras, graisses ou matières grasses, sont une source essentielle d'énergie. Entre autres fonctions, ils fournissent à l'organisme des acides gras essentiels et de l'énergie (calories). Ils aident également le corps à absorber les vitamines A, D, E et K. Les principales sources de lipides dans notre alimentation proviennent de la viande, de la volaille, du poisson, des fromages, des noix et des graines (sésame, tournesol, etc.), des margarines, du shortening, du beurre et des huiles.

Les lipides ou gras se trouvent dans les aliments sous différentes formes: cholestérol, gras polyinsaturés (oméga-3), saturés, gras trans. Comme ces mots apparaissent sur la majorité des étiquettes des aliments que nous achetons, et que chacun des gras alimentaires joue un rôle différent, il est important de bien les distinguer.

QUELQUES MODES DE CUISSON SANTÉ POUR LES VIANDES, VOLAILLES ET POISSONS

MODE	CONSEILS	AVANTAGES
Pocher (cuire dans un liquide)	Ne pas faire bouillir le liquide (eau, lait, vin, bouillon), le faire frémir.	Peu ou pas de matières grasses ajoutées.
Sauter (cuire à feu vif dans une petite quantité d'huile)	Faire revenir rapidement dans très peu d'huile d'olive et remuer très souvent. Attention: dès qu'un aliment change de couleur, il y a généralement perte de valeur nutritive.	La cuisson rapide préserve les substances nutritives et l'arôme des aliments.
Poêler (cuire rapidement des deux côtés dans une poêle)	Utiliser une poêle à revêtement antiadhésif ou ajouter une quantité minime de gras. Avec une poêle antiadhésive, cuire à feu moyen ou doux, car le revêtement résiste mal à une chaleur vive.	Peu ou pas de matières grasses ajoutées.
Faire mijoter (déposer dans une cocotte ou une mijoteuse, couvrir d'une petite quantité de liquide de mouillement et cuire à feu doux pendant plusieurs heures).	Enlever le gras visible. On peut utiliser des coupes peu coûteuses, car la cuisson lente attendrit la viande. Faire dorer ou non les aliments au préalable dans une matière grasse.	Nécessite peu ou pas de matières grasses. La cuisson lente rehausse l'arôme des aliments.
À la vapeur (cuire en plaçant au-dessus d'un liquide bouillant)	S'assurer que le couvercle laisse la vapeur s'échapper afin d'éviter que la température ne soit trop élevée.	Comme l'eau ne touche pas les aliments, les vitamines et autres nutriments sont conservés.
En papillotte (cuire au four dans une feuille de papier aluminium ou de papier sulfurisé)	Ajouter des épices et des fines herbes pour développer les arômes.	Pas d'ajout de matières grasses. Préserve la saveur et les nutriments des aliments.
À l'étouffée (cuire lentement à feu doux dans un récipient hermétique).	Ne pas ajouter d'eau: l'eau contenue naturellement dans les aliments se condense et retombe au fond, où elle s'évapore de nouveau.	Pas de corps gras ajouté. Les arômes et les nutriments de la viande enrichissent le jus de cuisson.

Recommandations alimentaires

Que vous vous preniez en main parce que votre niveau de risque est *faible*, *modéré* ou *élevé* pour les maladies cardiovasculaires, la quantité de gras totaux recommandée est de l'ordre de 25 à 35 % de l'apport total d'énergie pour une journée.

Viandes, volailles et poissons

- Choisir des coupes de viande maigres, c'est-à-dire des viandes peu ou non marbrées (ne pas hésiter à en demander à votre boucher).
- Dégraisser les viandes et les volailles: avant la cuisson, enlever tout le gras visible, enlever la peau des volailles.
- Dégraisser la viande hachée, pour les plats en casserole, en la passant sous l'eau froide après la cuisson et avant d'y ajouter les autres ingrédients.
- Faire griller les viandes sans ajouter de gras ou encore utiliser seulement un soupçon d'huile pour faire griller, rôtir, saisir ou sauter la viande.
- Dans les recettes, diminuer légèrement la quantité de viande et augmenter celle des légumes.
- À l'occasion, remplacer (en partie ou en totalité) la viande hachée par du tofu émietté ou des légumineuses (lentilles, haricots rouges, etc).
- Consommer du poisson au moins deux fois par semaine.

Aliments à teneur élevée en matières grasses
Les margarines

Le débat margarine/beurre existe depuis plusieurs années et il sera toujours présent, compte tenu du fait qu'il touche deux grandes industries alimentaires et des enjeux économiques importants. Le beurre est une source importante de gras saturés. Donc, pour tartiner, il est préférable de le remplacer par une margarine molle non hydrogénée.

Mais comment faire le bon choix de margarine? Choisissez une margarine molle non hydrogénée, de préférence à base d'huile de canola ou d'olive où on retrouve la mention «sans gras trans» et où les gras saturés se chiffrent à moins de 1,5 g de gras/portion.

TABLEAU 12   ## ILLUSTRATION DE L'ÉTIQUETTE D'UN CONTENANT DE MARGARINE

Exemple d'un tableau de valeur nutritive sur l'emballage d'une margarine recommandée pour une portion de 10 g (2 c. à thé/à café):

VALEUR NUTRITIVE
Pour 2 c. à thé/ par 2 tsp (10 g)

Teneur	% Valeur quotidienne
Calories / Calories 70 Cal	
Total Fat / Lipides 8,0 g	12 %
Saturated / saturés 1 g	
+Trans / trans 0 g	5 %
Polyunsaturated / polyinsaturés 2,5 g	
Omega-6 / oméga-6 2 g	
Omega-3 / oméga-3 0,6 g	
Monounsaturated / monoinsaturés 3,5 g	
Cholesterol / Cholestérol 0 mg	0 %
Sodium / Sodium 70 mg	3 %
Total Carbohydrate/ Glucides	0 %
Dietary Fibre / Fibres alimentaires 0 g	0 %
Sugars / Sucres 0 g	
Protein / Protéines 0 g	
Vitamin A / Vitamine A	10 %
Vitamin C / Vitamine C	0 %
Calcium / Calcium	0 %
Iron / Fer	0 %
Vitamin D / Vitamine D	30 %
Vitamin E / Vitamine E	15 %

Les huiles

Il est recommandé de choisir de préférence des huiles végétales contenant une plus grande quantité de gras monoinsaturés, telles que l'huile d'olive et de canola. Pour la cuisson à la poêle, on privilégie l'huile d'olive (en petite quantité) à toutes les autres huiles car elle est plus stable à la chaleur. Pour une vinaigrette ou un plat cuisiné, il est recommandé d'utiliser l'huile de canola qui contient une quantité supérieure d'acides gras essentiels.

Les œufs

Limiter les jaunes d'œufs à deux ou trois fois par semaine car ils représentent une source très importante de cholestérol. Le blanc d'œuf peut être consommé à volonté et les substituts d'œufs peuvent aussi être utilisés à volonté.

Le lait et les produits laitiers

Choisir des produits laitiers à teneur réduite en matières grasses: lait 2 %, 1 % ou écrémé, fromage à moins de 20 % de matières grasses. Pour cela, il suffit de repérer l'inscription «% M.G.» qui figure sur l'emballage.

Les vinaigrettes, trempettes, sauces et soupes

- Remplacer les vinaigrettes riches en matières grasses par quelques cuillerées à thé (à café) d'huile d'olive et de vinaigre de vin ou balsamique, agrémentées de fines herbes.
- Votre vinaigrette du commerce préférée est de type crémeuse? Réduire son contenu en gras avec de la mayonnaise légère ou du yogourt nature.
- Dans les trempettes, remplacer la mayonnaise ou la crème par du yogourt nature.
- On peut remplacer la mayonnaise commerciale par une mayonnaise au tofu (fouetter $1/2$ bloc de tofu, 2 c. à soupe de jus de citron, 2 c. à soupe d'huile d'olive, 2 c. à thé (à café) de moutarde de Dijon, 1 c.à thé (à café) de miel) qui renferme 2 g de gras par 15 ml comparativement à 11 g pour la mayonnaise du commerce.
- Préparer les sauces avec du lait à 1 % de gras ou du lait concentré écrémé au lieu de la crème; ou utiliser moitié lait moitié crème pour plus de goût et une texture plus onctueuse (cela vaut aussi pour les potages).

- Pour dégraisser les sauces et les bouillons, les placer au réfrigérateur et retirer la couche de gras qui se formera sur le dessus.
- Assaisonner les légumes avec du jus de citron ou des fines herbes plutôt qu'avec du beurre.

Pâtisseries et muffins

- Il est possible de réduire du tiers la quantité de matières grasses indiquées dans les recettes sans en affecter la texture et le goût.
- Pour des pâtisseries encore plus faibles en gras, remplacer jusqu'à la moitié de l'huile, margarine ou beurre par une quantité équivalente de compote de pomme non sucrée.
- On peut remplacer une partie des œufs entiers par des blancs d'œufs (pour 2 œufs, utiliser 1 œuf entier et un blanc d'œuf).

Les différentes sortes de gras

- **Le cholestérol alimentaire**

On a tellement parlé du cholestérol comme d'une substance nocive qu'il est difficile de croire qu'il est un élément présent naturellement dans le corps humain et essentiel à son fonctionnement. En fait, il faut faire la distinction entre le cholestérol alimentaire, qui se trouve dans les aliments d'origine animale, et le cholestérol sanguin, présent naturellement dans le corps humain.

Le cholestérol alimentaire est une substance qui s'apparente aux graisses. Il se trouve exclusivement dans les aliments d'origine animale (jaune d'œuf, foie et autres abats, crevettes et fibre musculaire de la viande). Un taux élevé de cholestérol sanguin, tel qu'il est mentionné au chapitre 2 (p. 18), peut provenir de la quantité de cholestérol alimentaire et de matières grasses des aliments que nous mangeons. Il est donc recommandé de consommer modérément les aliments à forte teneur en cholestérol.

Recommandations alimentaires

La quantité de cholestérol recommandée varie selon que le niveau de risque de maladie cardiovasculaire est faible (consommer moins de 300 mg par jour) ou modéré ou élevé (consommer moins de 200 mg par jour).

▪ Les gras saturés

On reconnaît généralement les gras saturés par le fait qu'ils sont à l'état solide à la température de la pièce. On les trouve principalement dans les graisses d'origine animale telles que le beurre, le suif, le fromage, la crème, le lait non écrémé et la viande, et dans certaines graisses d'origine végétale, comme l'huile de palme ou de noix de coco ou le shortening. Ces gras favorisent l'élévation du mauvais cholestérol sanguin (cholestérol total et C- LDL) et, par conséquent, doivent être consommés avec prudence.

Recommandations alimentaires

Que votre niveau de risque de maladie cardiovasculaire soit modéré ou élevé, la quantité de gras saturés recommandée est de moins de 7 % de l'apport total d'énergie/jour. Si votre niveau de risque est faible, la quantité se chiffre à moins de 10 % de l'apport total d'énergie.

▪ Les gras trans

Les gras trans font augmenter le taux du mauvais cholestérol sanguin et réduire le taux de bon cholestérol. Ils sont formés par l'hydrogénation, un processus couramment utilisé par l'industrie alimentaire. Cette transformation augmente la durée de conservation des aliments, leur donne un meilleur goût et améliore leur apparence et leur texture. C'est la raison pour laquelle nous trouvons la majorité des gras trans alimentaires dans les produits commerciaux. Depuis janvier 2006, Santé Canada oblige les compagnies à inscrire séparément sur le tableau de «Valeur nutritive» des emballages, la teneur en gras trans. Cette obligation ne s'applique qu'à certains aliments préemballés et non aux aliments servis au restaurant. Depuis 2008, toutes les compagnies doivent s'y conformer.

Recommandations alimentaires

Que votre niveau de risque de la maladie cardiovasculaire soit faible, modéré ou élevé, la quantité de gras trans recommandée est de moins de 1 % de l'apport total d'énergie/jour.

Conseils pratiques pour réduire les gras trans au quotidien:

- Utiliser des huiles non hydrogénées, de préférence les huiles de canola ou d'olive. Pour les friteuses, ne pas utiliser l'huile de canola et ne pas réutiliser les huiles plus de deux ou trois fois.
- Bien vérifier la liste d'ingrédients sur l'emballage et éviter ceux où on trouve les mots suivants: «huile végétale hydrogénée et/ou partiellement hydrogénée» ou «gras hydrogéné», car ces produits contiennent des gras trans.
- Limiter le plus possible les produits commerciaux suivants: les pommes de terre frites, les beignes, les biscuits sucrés, les craquelins parce qu'ils contiennent une quantité élevée de gras trans (vérifier le tableau de la valeur nutritive).
- Limiter la quantité de gras saturés dans l'alimentation quotidienne. Si vous consommez peu de gras saturés, vous consommerez probablement peu de gras trans.
- Au restaurant, limiter les aliments frits non seulement à cause de leur valeur élevée en gras mais aussi à cause de la présence de gras hydrogénés et par le fait même de leur teneur élevée en gras trans.
- Éviter les shortenings commerciaux et tous les aliments préparés commercialement avec une huile de friture tels que les frites, les croquettes de poulet ou de poisson, etc., car ils contiennent des gras trans.

En résumé

La nature des matières grasses que vous mangez est très importante. La majorité des gens qui présentent un taux de cholestérol sanguin élevé auront avantage à réduire leur consommation d'aliments qui contiennent des graisses saturées, des gras «trans» et à teneur élevée en cholestérol.

- **Les gras polyinsaturés**

Les gras polyinsaturés se reconnaissent à leur mollesse relative et à leur aspect huileux à la température de la pièce ou lorsqu'ils sont réfrigérés. Ils se trouvent essentiellement dans les produits d'origine végétale (huile de carthame, de tournesol, de maïs, margarine molle non hydrogénée faite de ces huiles végétales liquides) et dans les poissons gras. Consommés avec modération à la place des graisses saturées, ils tendent à réduire le taux de cholestérol sanguin.

Recommandations alimentaires

Que votre niveau de risque de maladies cardiovasculaires soit faible, modéré ou élevé, la quantité de gras polyinsaturés recommandée est la suivante: jusqu'à 10 % de l'apport total d'énergie pour une journée.

Certains aliments sont riches en acides gras polyinsaturés et représentent de bons choix santé. Ce sont:

- huile de soya, carthame, tournesol, maïs et sésame;
- graines de lin, citrouille, tournesol;
- noix de Grenoble, noix de pin;
- poisson (truite, saumon, sardines, etc.).
- margarine molle non hydrogénée

- **Les gras omega-3**

Les gras oméga-3 d'origine végétale sont des acides gras essentiels appartenant à la famille des gras polyinsaturés. On les dit essentiels parce qu'ils sont nécessaires au développement et au fonctionnement de l'organisme, qui ne peut les fabriquer. Il est donc important d'en retrouver en quantité suffisante dans l'alimentation. Les oméga-3 d'origine marine ont un rôle bien défini sur le plan de la santé cardiovasculaire. Ils contribuent à la dilatation des vaisseaux sanguins, à la diminution de la formation de caillots sanguins, à la diminution de la pression artérielle et des triglycérides sanguins. Ils ont une action anti-inflammatoire et sont aussi bénéfiques dans la prévention d'autres maladies chroniques.

Les oméga-3 proviennent de deux sources, soit:

Végétale:

- Fournissent de l'ALA (acide alpha-linolénique). L'ALA est un acide gras essentiel.
- Servent à diminuer le ratio oméga-6/oméga-3 (important pour assurer l'efficacité des oméga-3).

Animale (d'origine marine):

- Fournissent de l'EPA et du DHA (acides eicosapentanoïque et docosahexaénoïque).
- Possèdent les propriétés cardioprotectrices recherchées des oméga-3.

Les sources d'origine végétale (ALA)	**Les sources d'origine marine (EPA/DHA)**
Lin	Hareng
Canola	Saumon
Chanvre	Truite arc-en-ciel
Noix de Grenoble	Maquereau
	Sardines
	Thon en conserve
	Flétan

(Les poissons maigres et les fruits de mer en contiennent moins.)

Recommandations alimentaires

Il est suggéré de consommer:

- 2 à 5 portions (90 g/portion) par semaine de poisson gras tel qu'il est mentionné plus haut;
- à tous les jours des oméga-3 d'origine végétale (ex. d'une portion: 2 c. à thé/à café de graines de lin moulues, 1 c. à soupe d'huile de canola ou 60 ml ou $1/4$ de tasse de noix de grenoble).

Conseils pratiques pour l'utilisation des oméga-3 au quotidien:
Comment mettre en application ces recommandations au quotidien? Pourquoi ne pas essayer des recettes de la section *Poissons* de ce livre (voir pages 197 à 211)? Voici quelques conseils pour la cuisson du poisson.

- Il est important de cuire les poissons à haute température (200-220 °C ou 400-450 °F) pour une courte période.
- On calcule de 5 à 10 minutes par 2,5 cm (1 po) d'épaisseur dans la partie la plus charnue.
- Le poisson peut être cuit au four, grillé, sauté, cuit au barbecue, à la vapeur et poché. Ne jamais décongeler le poisson avant la cuisson, ainsi la chair restera plus ferme; doubler plutôt le temps de cuisson.
- Rehausser la saveur du poisson avec des fines herbes, du jus de lime et de citron ou du vinaigre balsamique.

Il est important de consommer quotidiennement des oméga-3 de source végétale telles les noix de Grenoble (à ajouter aux céréales, yogourts et salades), les graines de lin (à ajouter au yogourt) et l'huile de canola (à incorporer aux plats cuisinés).

Poisson ou suppléments?

Le poisson devrait être le premier choix. En effet, il semble que la consommation de deux portions de poisson gras par semaine diminue de 23 % le taux de mortalité relié aux maladies cardiovasculaires et en manger plus de cinq fois par semaine réduirait ce risque de 38 %.

De plus, la valeur nutritive du poisson est grandement supérieure à celle d'un simple comprimé. En effet, le poisson contient des protéines aux propriétés anti-inflammatoires et du sélénium, un puissant antioxydant qu'on ne retrouve pas dans les capsules d'oméga-3. Finalement, remplacer un repas de viande par un repas de poisson est également très favorable pour la santé. En effet, la viande contient plus de gras saturés que le poisson. Par contre, si vous songez à prendre un supplément, il serait important de consulter une nutritionniste, afin de vérifier la pertinence de le faire.

▪ Les gras monoinsaturés

Les gras monoinsaturés n'accroissent pas le taux de cholestérol sanguin. Toutefois, le fait de les consommer au lieu des gras saturés contribue à réduire le taux de mauvais cholestérol sanguin (LDL) sans diminuer le taux du bon cholestérol (HDL).

Recommandations alimentaires

Que votre niveau de risque de maladie cardiovasculaire soit faible, modéré ou élevé, la quantité de gras monoinsaturés recommandée devrait correspondre à un maximum de 20 % de l'apport total d'énergie pour une journée.

Les gras monoinsaturés se retrouvent dans les aliments suivants:
- huile d'olive et de canola;
- avocat;
- noisettes, amandes, arachides, pistaches, pacanes, graines de sésame;
- beurre d'arachide ou d'amande naturel;
- margarine molle non hydrogénée à base d'huile monoinsaturée.

Lorsque vous devez utiliser un gras pour la cuisson, l'huile d'olive est recommandée car elle est plus stable à la chaleur.

À ce moment-ci, il est important de mentionner qu'il est possible que votre médecin traitant ait jugé nécessaire de vous prescrire une médication hypolipémiante afin de modifier votre niveau de lipides dans le sang. Il est scientifiquement reconnu qu'une alimentation conforme aux recommandations va intensifier les effets de cette prise de médicaments et, à l'inverse, qu'une alimentation non conforme va contrer l'effet de ce médicament. Donc, n'hésitez pas à en discuter avec votre médecin, votre nutritionniste ou votre pharmacien.

Les protéines
Variétés de protéines

Les protéines sont en quelque sorte les matériaux de construction de l'organisme. Elles servent en effet à la formation et au maintien de la masse musculaire et elles agissent comme agents de lutte contre les infections. Les protéines sont soit d'origine animale (viande, volaille, poisson, œufs, produits laitiers), soit d'origine végétale (légumineuses, noix et graines). Les protéines animales sont complètes et très bien assimilées par l'organisme; les protéines végétales, par contre, sont incomplètes et doivent être combinées avec d'autres sources de protéines végétales pour être assimilées aussi efficacement. Ainsi combinées, elles se «complètent», c'est pourquoi on parle de complémentarité des protéines.

La combinaison des protéines végétales ne doit pas être laissée au hasard. Elle peut se faire de trois façons, soit:

- céréales et produits laitiers
- légumineuses et céréales
- légumineuses et noix et/ou graines.

Elle doit se faire de manière complémentaire à l'intérieur d'une même journée. Il est possible que vous trouviez plus facile de la réaliser à l'intérieur d'un même repas, soit en vous assurant de toujours inclure un produit laitier ou une viande ou encore de la façon suivante:

Légumineuse (250 ml/1 tasse) + céréales (250 ml/1 tasse) ou pain (1 tranche)
Exemple de menu:
Soupe aux pois réconfortante (250 ml/1 tasse) (p. 129), Salade de céleri-rave
(p. 228), Riz au curry (250 ml/1 tasse) (p. 136), Gourmandise aux fruits (p. 258)

Légumineuse (250 ml/1 tasse) + noix ou graines (85 ml/¹/₃ de tasse)

Exemple de menu:

Soupe aux pois réconfortante (250 ml/1 tasse) (p. 129), Salade quatre saisons (p. 233), Délice estival (p. 258)

Il est également recommandé de manger des repas sans viande, c'est-à-dire de la remplacer, une ou deux fois par semaine, par un repas à base de:

- légumineuses, par exemple soupe aux pois, lentilles, haricots rouges, salade de pois chiches, pain de légumineuses, végépâté, etc., en n'oubliant pas de respecter une certaine complémentarité;
- blancs d'œufs, ou en limitant les jaunes d'œufs à deux par semaine;
- fromages, en choisissant ceux à teneur réduite en gras (moins de 20 % de matières grasses).

Recommandations alimentaires

L'apport des protéines, végétales ou animales, doit se situer entre 10 et 15 % de l'apport total en énergie, que votre niveau de risque de maladie cardiovasculaire soit faible, modéré ou élevé.

- Les recommandations du guide *Bien manger avec le Guide alimentaire canadien* sont de deux à trois portions/jour.
- La taille de la portion recommandée par repas est de 75 g (2 ¹/₂ oz). Cette quantité satisfait aux besoins de base en protéines.

Les glucides

Les glucides, aussi connus sous le nom d'hydrates de carbone ou de sucres, sont la principale source d'énergie du corps humain.

Variétés de glucides

Il existe deux catégories de glucides:

- les sucres simples: ces sucres fournissent de l'énergie rapidement car ils atteignent le sang en peu de temps. Les principales sources sont les sucres concentrés (sucre blanc, cassonade, miel, mélasse, sirop d'érable ou autre, confiture, bonbons), les fruits et jus de fruits, certains légumes, le lait et les produits laitiers;
- les sucres complexes: les aliments qui renferment des sucres complexes n'ont pas

le petit goût sucré de ceux qui contiennent surtout des sucres simples, car leur principale source est l'amidon. On trouve les sucres complexes dans la farine, la fécule, le pain, les céréales, le riz, la pomme de terre, les pâtes alimentaires et les légumineuses.

Parce qu'ils sont digérés moins rapidement, les sucres complexes procurent une énergie beaucoup plus durable. Il importe donc d'accroître la part de sucres complexes dans votre menu quotidien, en consommant plus de pain et de céréales (de préférence complets) et certains sucres simples comme les fruits et les légumes. Comme ces aliments complets constituent en plus une excellente source de fibres, ils contribuent à diminuer le taux de cholestérol sanguin et à assurer un meilleur fonctionnement intestinal.

Recommandations alimentaires

Que votre niveau de risque de maladie cardiovasculaire soit faible, modéré ou élevé, la quantité de glucides recommandée est de 50 à 60 % de l'apport énergétique total pour la journée. Pour les personnes qui ont des triglycérides élevés, la quantité de glucides (sucre) recommandée ne doit pas excéder 50 % de l'apport énergétique total.

Que votre niveau de risque de maladie cardiovasculaire soit *faible*, *modéré* ou *élevé*, il est important de consommer des glucides (sucre) surtout à partir de produits riches en fibres tels des céréales et des pains complets, des légumes, des fruits et des produits laitiers à faible teneur en matières grasses ou sans gras.

Conseils pratiques pour réduire les sucres simples (concentrés) au quotidien:

- Tentez d'éviter certains sucres concentrés tels sucre, cassonade, fructose, mélasse, sirop d'érable ou de maïs, miel, caramel, tartinades, confitures, marmelades, lait au chocolat, boissons et punchs aux fruits, boissons gazeuses, bonbons, chocolat, pastilles, biscuits, gâteaux, tartes, pâtisseries, beignes, gélatines aromatisées, poudings du commerce, céréales sucrées et confits. On suggère de ne les consommer qu'occasionnellement.
- Dans la plupart des recettes, on peut réduire jusqu'à environ la moitié la quantité de sucre ou de cassonade sans trop affecter le goût ou la texture du produit final.
- Il est possible de remplacer le sucre et la cassonade par la même quantité de purée de dattes avec un peu d'eau jusqu'à ce qu'elle soit onctueuse. Pourquoi? les dattes fournissent des fibres et des vitamines.

- Dans les recettes où l'on retrouve miel ou mélasse, on peut substituer par la moitié de jus d'ananas ou de pomme, et prolonger le temps de cuisson de 5 minutes.
- Choisir des céréales qui en plus d'être riches en fibres (4 à 6 g ou plus par portion) contiennent une faible quantité de sucre (soit 6 g ou moins, ou 10 g ou moins si elles contiennent des fruits).

Conseils pratiques pour augmenter les sucres complexes au quotidien:
Les sucres complexes (sucres provenant des fruits et des légumes et des produits céréaliers) sont plus nutritifs pour la santé.

- Pour accroître la part de sucres complexes, il est suggéré de suivre les recommandations du guide *Bien manger avec le Guide alimentaire canadien* en augmentant la quantité de pains et de céréales pour atteindre 5 portions et plus. Ce groupe comprend une variété d'aliments à base de farine complète riche en fibres.
- En augmentant la quantité de fruits et de légumes consommés.
- En remplaçant les pâtisseries et gâteaux par des fruits. Les gâteaux et les pâtisseries maison peuvent par contre être consommés en quantité modérée, s'ils sont préparés avec des gras non saturés et des quantités moindres de sucre et de jaunes d'œufs et aussi souvent que possible avec des fruits.

Les fibres alimentaires

Les fibres alimentaires sont des substances peu ou pas digérées par le système digestif. Elles sont essentielles au bon fonctionnement de l'intestin et peuvent contribuer à la baisse du cholestérol sanguin. Elles procurent un sentiment de satiété contribuant au contrôle de l'appétit et du poids.

Variétés de fibres

Les fibres alimentaires se divisent en deux grandes catégories:

- Les fibres solubles (qui forment un gel une fois mélangées à de l'eau) peuvent contribuer à abaisser le taux du mauvais cholestérol sanguin (LDL) et de la glycémie chez la personne diabétique.
- Les fibres insolubles (qui ne se dissolvent pas dans l'eau) augmentent le volume des selles et régularisent la fonction intestinale. Elles aident à prévenir la constipation et d'autres maladies du système digestif.

Recommandations alimentaires

La quantité de fibres recommandée pour un adulte est de 25 à 35 g par jour.

Afin de parvenir à cette quantité, nous vous fournissons les valeurs en fibres solubles de certains aliments. Lorsque vous faites vos achats, vérifier le tableau de la valeur nutritive des aliments, il vous permettra de connaître la quantité de fibres du produit et ainsi faciliter le calcul de votre apport quotidien.

Les principales sources de fibres solubles sont:

SOURCES	PORTION	FIBRES (g)
La poudre de psyllium	1 c. à thé (à café)	3 g
All Bran Buds avec fibres de psyllium, Kellog's	85 ml (1/3 de tasse)	3 g
Gruau ou son d'avoine cuits	125 ml (1/2 tasse)	1.5 g
Orge cuite	200 ml (3/4 de tasse)	1.5 g
Orange	(1 grosse ou 4 abricots frais)	2 g
Fruit de taille moyenne	1 entier	1 g
Légumes tels que: asperges, brocoli, carotte, choux de Bruxelles, navet, haricots verts, oignon, patate douce, pois verts surgelés cuits	125 ml (1/2 tasse)	1 à 2 g
Légumineuses telles que: fèves de lima, haricots blancs, noirs, rouges, pois chiches cuits	125 ml (1/2 tasse)	1 à 3 g
Métamucil	1 sachet	3 g

Les principales sources de fibres insolubles sont:

SOURCES

Le son et les céréales complètes comme les pains complets, de seigle

Les légumes et les fruits

Les noix et les graines

Les légumineuses

Pour connaître les valeurs en fibres de ces différents aliments, bien vérifier le tableau de la valeur nutritive sur les emballages.

Conseils pratiques pour augmenter les fibres au quotidien:

- Choisir des céréales contenant 3 g et plus de fibres, 5 g ou moins de sucre ou 10 g ou moins de sucre si elles contiennent des fruits.
- Choisir les barres tendres qui contiennent 2 g et plus de fibres, et 2 g ou moins de gras saturés et trans.
- Choisir les craquelins qui contiennent 2 g et plus de fibres, et 2 g ou moins de gras saturés et trans.
- Dans les recettes de gâteaux et de pâtisseries, remplacer la moitié ou davantage de farine tout-usage par de la farine de blé entier (complète). Cela contribuera à augmenter le contenu en fibres.
- Choisir des pâtes alimentaires à grains entiers (complètes) ou multigrains et du riz brun à 4 g et plus de fibres.
- Parsemer les salades de noix de Grenoble, de fèves de soja ou de graines de sésame au lieu de croûtons et de bacon.
- Ajouter des fibres aux casseroles, aux poudings ou aux yogourts en les parsemant de son d'avoine ou d'une céréale à base de psyllium.
- Ne pas hésiter à cuisiner les légumineuses, vous trouverez plusieurs recettes dans cet ouvrage de soupes, salades ou plats d'accompagnement.
- Ajouter des lentilles, des pois chiches ou des haricots rouges à vos soupes ou à vos sauces à spaghetti.

Le sel (ou chlorure de sodium)

Le sodium contenu dans le sel a une influence sur la pression artérielle et, nous utilisons et absorbons très souvent plus de sel que la quantité nécessaire à l'organisme.

Recommandations alimentaires

On a donc avantage à réduire la consommation de sodium, de façon à atteindre au moins la quantité recommandée, c'est-à-dire pas plus de 2,3 g par jour (2300 mg). Cette quantité équivaut à un peu plus de 1 c. à thé (à café) de sel. Pour y arriver, il faut parfois changer certaines de ses habitudes.

Conseils pratiques pour diminuer le sel au quotidien
- Éviter de saler à table.

- Saler modérément à la cuisson et surtout goûter avant de saler. Certains aliments, comme le jus de tomate et les fromages, contiennent déjà beaucoup de sel et en fournissent suffisamment pour saler les plats qu'on prépare sans qu'on doive en ajouter. Nous avons souvent peu de contrôle sur le sel que nous consommons étant donné l'utilisation souvent abusive du sel et des autres composés sodiques par l'industrie alimentaire lors de la préparation et de la transformation des aliments. Il est donc important de bien vérifier le tableau de valeur nutritive, pour repérer la teneur en sodium d'une portion, ou bien la liste des ingrédients des produits alimentaires. Sur cette liste, le sodium peut être présent sous les appellations suivantes: sodium, chlorure de sodium, bicarbonate ou monoglutamate de sodium, poudre à lever, sel de table, sel de mer, végétal, sel d'ail, ainsi que tous les composés incluant le mot «sodium».
- Remplacer progressivement le sel par des herbes et des épices, les poudres d'ail et d'oignon, le poivre, l'ail, le citron, les vinaigres aromatisés ou la sauce tabasco pour rehausser la saveur des plats cuisinés. Cela vous permettra de découvrir et de développer des goûts différents.
- Diminuer la consommation de mets préparés du commerce. Les concentrés de soupes, les charcuteries, les produits fumés ou salés, les marinades, les herbes et assaisonnements à base de sel, les repas de style casse-croûte, les amuse-gueule salés et la plupart des eaux minérales contiennent beaucoup de sel et devraient être consommés avec prudence.

Vous trouverez dans la section «Recettes» de ce livre la valeur en sodium de toutes les recettes. Ces dernières sont conformes au régime DASH, recommandé pour la prévention et le traitement de l'hypertension. Pour en connaître plus sur l'alimentation et l'hypertension artérielle, vous pouvez vous procurer le livre *Mon guide nutritionnel pour prévenir et traiter l'hypertension artérielle* (voir information au chapitre 16, p. 96)

L'alcool

Nous sommes très conscients que l'alcool procure un plaisir lorsque consommé avec modération et nous constatons que les recommandations concernant la prise d'alcool pour le traitement des maladies cardiovasculaires constituent un sujet très controversé. Nous tenterons de vous éclairer et de vous fournir des recommandations précises à la lumière des recherches les plus récentes. Pour y arriver, il est important de faire une révision des effets bénéfiques et des effets néfastes de la prise d'alcool quant à la maladie cardiovasculaire.

Effets bénéfiques:

- L'élévation du bon cholestérol (HDL); par contre, l'exercice physique a le même effet, sans effet secondaire nocif.
- L'alcool ou autres composantes des boissons alcooliques comme le resveratrol, empêcherait l'agglomération (caillot) des plaquettes sanguines; par contre, l'aspirine à faible dose jouerait le même rôle, sans effets secondaires nocifs, si elle est administrée judicieusement.
- Les antioxydants que l'on trouve dans le vin rouge diminueraient le risque de la maladie cardiovasculaire; par contre, certains de ces composants, peuvent aussi se trouver dans d'autres aliments, tels les raisins ou le jus de raisin.

Effets néfastes:

- Contribue à élever le niveau de triglycérides sanguins.
- Contribue à l'élévation de la pression sanguine (HTA).
- Contribue à l'insuffisance cardiaque.
- Contribue à l'augmentation des calories consommées, dû à sa teneur énergétique (calorique) élevée.
- Contribue à l'absentéisme au travail, aux accidents de la route, aux maladies digestives et neurologiques.
- À proscrire chez une personne souffrant d'une dépendance à l'alcool pour les raisons ci-haut mentionnées et pour sa santé globale.

Recommandations

Face à cette démonstration des faits et si vous êtes d'accord en ce qui a trait aux effets néfastes, il est important d'en discuter avec votre médecin, qui pourra faire l'équation bénéfices/risques et vous éclairer personnellement.

Si l'alcool vous est permis, il est recommandé de ne pas dépasser les quantités suivantes:

- 1 ou 2 portions par jour pour les hommes
- 1 portion par jour pour les femmes

1 portion équivaut à:

- 375 ml (12 oz) de bière
- 150 ml (5 oz) de vin sec
- 90 ml (3 oz) de vin de dessert ou de porto
- 45 ml (1 $1/2$ oz) de spiritueux

Chapitre 8 # Personnalisation de vos besoins

MÉTHODE RAPIDE DE CALCUL DE VOS BESOINS ÉNERGÉTIQUES EN FONCTION DE VOS ACTIVITÉS PHYSIQUES

Il est maintenant temps pour vous de vous questionner sur vos propres besoins énergétiques (caloriques). Nous vous suggérons, à défaut de rencontrer une diététiste/nutritionniste, une méthode rapide:

1. Déterminez votre poids santé au chapitre 2 (p. 18). Pour convertir les livres en kilos, vous n'avez qu'à diviser par 2,2.

2. Multipliez ce résultat par:

> 33 calories si vous ne faites aucune activité physique;
> 38 calories si vous êtes moyennement actif (environ 20 minutes d'exercice 3 fois par semaine);
> 44 calories si vous êtes très actif (entraînement pour la compétition).

Par exemple, si votre poids santé est de 70 kg et que vous êtes moyennement actif, vos besoins énergétiques pour une journée se calculent ainsi:

70 kg X 38 calories = 2660 calories par jour.

Je pèse _____ kg X _____ calories (selon mes activités physiques) = _____ calories/jour.

MÉTHODE DE CALCUL RAPIDE DE VOS BESOINS EN PROTÉINES, GLUCIDES, LIPIDES

Pour connaître vos besoins en protéines, glucides et lipides, qui sont en réalité les plus importants éléments nutritifs (macronutriments) contenus dans les aliments et qui sont responsables de l'apport énergétique (calorique), utilisez la méthode qui suit. Pour chacun de ces éléments nutritifs, vous devez respecter les pourcentages recommandés au chapitre 7, soit de 10 à 15 % pour les protéines, de 50 à 60 % pour les glucides et de 25 à 35 % pour les lipides.

Calculez de 10 à 15 % par jour de vos besoins énergétiques (caloriques) pour les protéines et divisez le total par 4 (parce qu'un gramme de protéines fournit 4 calories).

Ceci vous donnera le nombre de grammes de protéines recommandé par jour.

Exemple:

2660 calories X 15 % = 399 calories

399 calories / 4 = 100 g protéines/jour

Mon calcul de protéines/jour personnalisé:

Le nombre de calories _____ X 15 % = _____ calories

le nombre de calories _____ / 4 = _____ g protéines/jour.

Calculez de 55 à 60 %/jour de vos besoins énergétiques (caloriques) pour les glucides et divisez le total par 4 (parce qu'un gramme de glucides fournit 4 calories). Cela vous donnera le nombre de grammes de glucides recommandé par jour.

Exemple:

2660 calories X 55 % = 1466 calories

1466 calories / 4 = 367 g glucides/jour.

Mon calcul de glucides/jour personnalisé:

Le nombre de calories _____ X 55 % = _____

le nombre de calories _____ / 4 = _____ g glucides/jour.

Calculez de 30 à 35 % par jour de vos besoins énergétiques (caloriques) pour les lipides et divisez le total par 9 (parce qu'un gramme de lipides fournit 9 calories). Cela vous donnera le nombre de grammes de lipides recommandé par jour.

Exemple:

2660 calories X 30 % = 798 calories

798 calories / 9 = 89 g lipides/jour

Mon calcul de lipides personnalisé:

Le nombre de calories _____ X 30 % = _____

le nombre de calories _____ / 9 = _____ g lipides/jour.

En résumé, si vous pesez 70 kg, votre organisme a besoin quotidiennement de 2660 calories, réparties ainsi: 100 g de protéines, 366 g de glucides et 89 g de lipides.

Vous avez déterminé vos besoins énergétiques à l'aide de la méthode rapide et vous connaissez vos besoins en protéines, glucides et lipides, mais comment transposer ces données en nombre de portions pour chaque groupe d'aliments?

Le Tableau 13 ci-dessous a été conçu en fonction des besoins nutritifs et des besoins énergétiques, selon un niveau de risque modéré ou élevé de maladie cardiovasculaire.

Choisissez le nombre de calories qui se rapproche le plus de vos besoins et vous obtiendrez le nombre de portions pour chaque groupe d'aliments nécessaire pour une alimentation équilibrée.

Si vous consultez le chapitre 3 (p. 33) et que votre niveau de risque est faible, vous pouvez établir votre nombre de portions en vous inspirant du guide *Bien manger avec le Guide alimentaire canadien* qui indique très clairement le nombre de portions pour chaque groupe d'aliments selon le groupe d'âge et le sexe.

TABLEAU 13

NOMBRES DE PORTIONS RECOMMANDÉES POUR CHAQUE GROUPE D'ALIMENT EN FONCTION D'UN RISQUE MODÉRÉ OU ÉLEVÉ DE MALADIE CARDIOVASCULAIRE

	NIVEAU DE RISQUE MODÉRÉ					NIVEAU DE RISQUE ÉLEVÉ				
kCal	2500	2000	1800	1600	1200	2500	2000	1800	1600	1200
Viandes	3	2 1/2	2 1/2	2 1/2	2 1/2	3	2 1/2	2 1/2	2 1/2	2
Œufs/sem	2	2	2	2	2	1	1	1	1	1
Produits laitiers	4	3	3	3	3	4	3	3	3	2
Gras	8	6	5	4	3	7	6	5	4	3
Produits céréaliers	12	10	8	7	4	12	10	8	7	4
Légumes	5	3	3	3	3	5	3	3	3	3
Fruits	5	5	4	4	4	7	5	5	4	4

- En prévention: utilisez du lait à 1 ou 2 % de matières grasses
- En traitement: utilisez du lait écrémé
- Vous pouvez ajouter un œuf à ces quantités s'il est utilisé pour la cuisson
- Pour tous les groupes d'aliments, il est important de respecter la grosseur de la portion recommandée par le guide *Bien manger avec le Guide alimentaire canadien*.

Résultats: J'ai calculé mes besoins énergétiques (caloriques) à _____ (voir au début du chapitre 8).

Mon nombre de portions/jour pour est:

Viandes: _____ portions

Œufs: _____ portions

Produits laitiers: _____ portions

Gras: _____ portions

Pains: _____ portions

Céréales: _____ portions

Légumes: _____ portions

Fruits: _____ portions.

Chapitre 9   L'évolution des connaissances en matière de nutrition cardiovasculaire

AUTRES FACTEURS NUTRITIONNELS

Les études démontrent que d'autres facteurs nutritionnels peuvent avoir une influence sur l'incidence de la maladie cardiovasculaire. Dans certaines régions, le Bassin Méditerranéen par exemple, où l'alimentation est riche en fruits, en légumes, en grains complets, en poissons de mer et en gras insaturés, le risque de maladie cardiovasculaire semble être inférieur. En contrepartie, dans les régions comme l'Europe de l'Est et la Russie, le risque de maladie cardiovasculaire est beaucoup plus élevé. Ces observations fournissent suffisamment d'informations pour amener les chercheurs à se questionner sur les éléments de l'alimentation méditerranéenne qui pourraient avoir un effet positif sur la santé cardiovasculaire. Voici les principaux éléments en question:

Oméga-3

Vous trouverez au chapitre 7 (p. 42) des explications sur le sujet.

Acide folique, vitamine B6 et B12

Ces éléments jouent un rôle sur le métabolisme (transformation) d'un acide aminé (l'homocystéine) qui aurait un effet sur la santé cardiovasculaire. Les recherches n'ont pas encore apporté suffisamment de preuves concluantes pour recommander des suppléments vitaminiques de cet élément. Il est fortement recommandé de suivre le guide *Bien manger avec le Guide Alimentaire canadien* (vous pouvez vous le procurer par l'intermédiaire de votre centre de santé ou CLSC) qui vous assurera d'une quantité adéquate de chacun de ces éléments ou le modèle proposé au tableau 13 (p. 64).

Antioxydants

On appelle antioxydants des vitamines telles que: la vitamine C, la vitamine E, le bêta-carotène, les bioflavonoïdes et le sélénium, qui seraient responsables de la diminution de l'oxydation (le vieillissement) de la cellule et qui, par le fait même, diminueraient le risque de la maladie cardiovasculaire. Les recherches ont démontré l'importance de hausser les recommandations (RDA) pour la vitamine C et la vitamine E pour les hommes et pour les femmes. Les recommandations du guide *Bien manger avec le Guide alimentaire canadien* tiennent compte de ces hausses. En conclusion, il n'est pas nécessaire de consommer des suppléments vitaminiques, mais il est fortement recommandé, si votre niveau de risque est faible, de suivre les recommandations de ce guide et vos besoins seront comblés. Si votre niveau de risque est modéré ou élevé, suivez les recommandations du tableau 13 (p. 64).

Les phytostérols

Les phytostérols sont des composés naturels des membranes cellulaires de plantes. Ils ne sont pas synthétisés (produits) par l'organisme, ils proviennent uniquement de l'alimentation. On les trouve dans les huiles végétales, les margarines normales, les légumineuses, les graines de tournesol, les fruits, les légumes et les produits céréaliers et ce, en très petites quantités. Pour que les phytostérols aient un effet bénéfique sur la baisse du cholestérol (C-total) et les LDL («mauvais cholestérol»), ils doivent être pris en quantité importante. Les phytostérols offrent un soutien additionnel aux patients qui répondent moins bien à la médication. Le véhicule utilisé est la margarine normale ou légère et les vinaigrettes. Un tel enrichissement n'est toutefois pas actuellement permis au Canada par mesure de prudence, étant donné le risque d'effets secondaires potentiels.

La protéine de soja

Les populations asiatiques utilisent le soja comme aliment de base depuis toujours. Les Japonais consomment variablement 55 g (2 oz) de protéines de soja par jour et ils ont une mortalité due aux maladies cardiovasculaires deux fois moindre que les Américains, dont l'apport en protéines de soja se chiffre à environ 5 g par jour. On étudie l'effet des protéines de soja sur la santé cardiaque depuis environ 25 ans. Les dernières études importantes ont démontré un effet très modeste, soit une réduction d'environ 3 % du mauvais cholestérol (LDL) et d'environ 6 % des triglycérides, à condition de consommer 50 g (2 oz) de protéines de soja par jour. Pour ce qui est de l'augmentation du bon cholestérol (HDL), l'effet des protéines de soja est négligeable. Bref, les experts estiment que leur ajout à l'alimentation n'a qu'un effet direct minimal. En revanche, s'ils remplacent une alimentation riche en gras animal, en gras saturés et en cholestérol, les produits issus du soja (tofu, protéines, beurre ou burgers de soja), grâce à leur richesse en fibres, en vitamines et en minéraux, peuvent être bénéfiques pour la santé cardiovasculaire.

SOURCES DE SOJA	PROTÉINES PAR PORTION	PORTION
Boisson de soja	7 g	250 ml
Fèves de soja cuites	30 g	250 ml
Noix de soja	5 g	30 g
Fromage de soja	4 g	20 g
Desserts surgelés à base de soja	2 g	100 ml
Substituts de viande à base de soja	10 g	100 g
Saucisses petit-déjeuner	11 g	50 g
Tofu ferme	10-16 g	100 g

La consommation de 25 à 50 g (1 à 2 oz) de protéines de soya par jour en remplacement des produits d'origine animale s'avère un moyen efficace et sécuritaire pour réduire et ce, de façon modeste, le C-LDL («mauvais cholestérol») et les triglycérides.

Produits naturels

Plusieurs autres produits dits «naturels» (ail, aubépine, levure de riz rouge, policosanol, coenzyme 10, carnitine, artichaut, chitosane) sont aussi utilisés par plusieurs personnes pour prévenir ou pour traiter la maladie cardiovasculaire. Ces produits n'ont pas d'effet miracle, contrairement aux notions véhiculées qui n'ont aucune valeur scientifique. Même si quelques-uns peuvent avoir certains effets bénéfiques, il est primordial d'en parler avec votre médecin traitant ou votre pharmacien pour les raisons suivantes: effet mitigé de plusieurs produits (à dose normale), interaction produits naturels/médicaments, peu ou pas d'études cliniques démontrant leur efficacité, possibilité dans certains cas d'effets toxiques. En résumé, leur consommation n'est pas conseillée par les professionnels de la santé.

Nutrigénomique

Nous avons pensé vous parler très brièvement d'un nouveau domaine de la nutrition et de la génétique. Les experts prédisent que des percées rapides en génétique révolutionneront la médecine préventive, la thérapie nutritionnelle et les politiques nutritionnelles en santé publique. Ce nouveau domaine s'appelle la nutrigénomique.

La nutrigénomique étudie la structure, la régulation et le rôle des gènes impliqués dans le métabolisme ainsi que le mode d'action des nutriments. Elle permet également d'étudier les bases héréditaires de la variabilité, entre les différents individus, de la réponse aux nutriments ingérés et à d'autres composés naturellement présents. Dans un proche avenir, on pourrait s'attendre à ce que les professionnels de la santé analysent votre constitution génétique, prédisent votre santé future, émettent des recommandations personnalisées pour votre alimentation, votre mode de vie et votre médication et vous suggèrent les traitements adaptés. La recherche en nutrigénomique affiche déjà un énorme potentiel dans la prévention et le traitement des maladies chroniques, dont la maladie cardiovasculaire.

Chapitre 10 # Le diabète

BESOINS NUTRITIONNELS

Si vous souffrez de diabète, vos besoins nutritionnels sont semblables à ceux de l'ensemble de la population. Vous devez toutefois porter une attention particulière à équilibrer votre alimentation pour vous assurer d'une répartition précise des éléments nutritifs: protéines, glucides (sucres) et lipides (gras). La planification de l'alimentation, habituellement confiée à une diététiste/nutritionniste, implique plusieurs facteurs: habitudes de vie, goûts, niveau d'activité et, s'il y a lieu, médication.

Le plan personnalisé divise les aliments en sept groupes. Ce sont:

- les fruits
- les légumes
- les produits céréaliers
- les produits laitiers
- la viande et substituts
- les matières grasses
- les aliments avec sucre ajouté

Chaque groupe comprend plusieurs équivalents, appelés aussi échanges ou choix. Ce terme correspond à une quantité mesurée d'un aliment qui peut être remplacé par un autre à l'intérieur d'un même groupe. Ce système peut être utilisé pour planifier les menus de toute la famille en adaptant la quantité des portions aux besoins de chacun.

Utilisation du système d'échanges

- Demandez à votre diététiste/nutritionniste de dresser votre plan d'alimentation quotidien (voir modèle, tableau 14, p. 71) et de faire un exemple de menu, car elle seule peut élaborer un plan d'alimentation qui tiendra compte de vos besoins nutritionnels, lesquels dépendent: de l'âge, de la taille, de l'ossature, du sexe et du degré d'activité physique; des goûts, des habitudes alimentaires; de la médication (comprimés oraux et insuline) des conditions associées au diabète, telles que l'hypertension (haute pression), les problèmes cardiaques et les dyslipidémies (modification des taux de gras sanguins: cholestérol, triglycérides).

- Familiarisez-vous avec les différents groupes d'aliments et les quantités indiquées dans votre plan d'alimentation.
- Utilisez votre plan d'alimentation à l'heure des repas pour choisir le nombre d'échanges approprié dans chacun des groupes d'aliments.
- Le système d'échanges vous propose une liste des aliments les plus courants pour chacun des groupes. C'est pourquoi certains aliments n'y figurent pas. Vous pouvez consommer ces aliments à condition de connaître leur teneur en glucides, car vous saurez alors comment les inclure dans votre plan d'alimentation. Pour connaître la teneur en glucides et autres nutriments d'un produit du commerce en particulier, on peut consulter la valeur nutritive apparaissant sur l'emballage. Puisque les fibres alimentaires n'ont aucun effet sur le taux de sucre sanguin (glycémie) et qu'elles sont incluses dans le total des glucides qui figure sur l'emballage, elles doivent être soustraites du total des glucides si l'aliment renferme 5 g de fibres ou plus par portion. C'est le cas de certains produits céréaliers riches en fibres et de la plupart des légumineuses.

TABLEAU 14

EXEMPLE DE PLAN ALIMENTAIRE

NOMBRE D'ÉCHANGES

	Matin	Collation	Midi	Collation	Soir	Collation	Totaux de la journée
Fruits	_____	_____	_____	_____	_____	_____	_____
Légumes	_____	_____	_____	_____	_____	_____	_____
Produits céréaliers	_____	_____	_____	_____	_____	_____	_____
Produits laitiers	_____	_____	_____	_____	_____	_____	_____
Viande	_____	_____	_____	_____	_____	_____	_____
Aliments avec sucres ajoutés	_____	_____	_____	_____	_____	_____	_____
Matières grasses	_____	_____	_____	_____	_____	_____	_____

En suivant votre plan d'alimentation, vous aurez une alimentation équilibrée et vous maximiserez vos chances de bien contrôler votre glycémie. On vous suggère de:

- Consommer les aliments selon votre plan d'alimentation quotidien.
- Manger tous les repas (et les collations, s'il y a lieu) planifiés.
- Éviter de déplacer la prise des aliments contenant des glucides pendant la journée car ceux-ci influencent directement la glycémie. Par exemple, évitez de prendre une

tranche de pain supplémentaire le matin et de l'omettre à midi.

- Prendre vos repas (et collations, s'il y a lieu) le plus souvent possible aux mêmes heures tous les jours.

- Varier les aliments à l'intérieur d'un même groupe (par exemple, mangez différentes sortes de fruits et de légumes).

- Communiquer avec votre diététiste/nutritionniste si votre programme d'activité physique, votre médication, votre état de santé, votre poids ou votre appétit changent de façon significative. N'hésitez pas à la consulter pour toute question concernant votre alimentation.

- Porter une attention particulière à la taille des portions. Pour commencer, nous vous recommandons de peser vos aliments. Graduellement vous aurez une bonne idée de la taille d'une portion en jetant un simple coup d'œil. Il ne vous restera plus qu'à peser vos aliments de façon occasionnelle, afin de vous assurer que vos yeux ne vous jouent pas des tours.

- Vous assurer que votre diététiste/nutritionniste vous a bien remis votre plan d'alimentation quotidien avec une liste d'aliments pour chacun des 7 groupes alimentaires. Nous vous en donnons un bref aperçu dans la liste ci-dessous intitulée «Échanges possibles pour les groupes d'aliments». Chaque portion indiquée dans les listes représente 1 échange du groupe alimentaire concerné. Par exemple, 125 ml ou $\frac{1}{2}$ tasse de pâtes alimentaires = 1 échange de féculent.

Il est possible qu'on vous ait expliqué votre plan alimentaire terme «d'échange» de «portion» ou de «carré de sucre»

«1 échange» correspond à «1 portion» ou «1 carré de sucre» (1 c. à thé/à café)

Pour la rédaction de ce document et pour le calcul de ces recettes nous avons retenu le terme «échange».

Échanges possibles pour les 7 groupes d'aliments

Fruits:	1 échange =	- 1 fruit frais entier
		- $\frac{1}{2}$ pamplemousse, $\frac{1}{2}$ banane
		- 125 ml ($\frac{1}{2}$ tasse) de fruits en purée, en sections frais ou en conserve, égouttés
		- 125 ml ($\frac{1}{2}$ tasse) de jus de fruits non sucrés
		- 2 ou 3 fruits secs

Légumes:	1 échange =	• 125 ml (1/2 tasse) de légumes frais cuits ou en conserve
Produits céréaliers:	1 échange =	• 1 tranche de pain
		• 125 ml (1/2 tasse) de céréales cuites
		• 175 ml (5 oz) de céréales sèches
		• 1 pomme de terre nature
		• 125 ml (1/2 tasse) de pommes de terre en purée
		• 125 ml (1/2 tasse) de pâtes alimentaires ou de riz cuits
		• 4 craquelins, biscottes ou Melba
		• 125 ml (1/2 tasse) de légumineuses cuites
		• 250 ml (1 tasse) de soupe aux pâtes alimentaires
Produits laitiers:	1 échange =	• 125 ml (1/2 tasse) de lait
		• 125 ml (1/2 tasse) de yogourt nature
Viandes:	1 échange =	• 30 g (1 oz) de viande maigre cuite ou volaille ou poisson
		• 1 œuf
		• 30 g (1 oz) de fromage à moins de 20 % de matières grasses
		• 1 c. à soupe de beurre d'arachide
Matières grasses:	1 échange =	• 1 c. à thé (à café) de margarine
		• 2 c. à thé (à café) de mayonnaise
		• 1 c. à soupe de vinaigrette maison
		• 1 c. à soupe de sauce maison
Aliments avec sucre ajouté:	4 échanges =	• 1 portion de tarte au citron (1/6 d'une tarte de 23 cm de diamètre)
	4 échanges =	• 1 morceau de gâteau au chocolat sans glaçage (1/10 d'un gâteau de 23 cm)

Utilisation du système d'échanges à partir des recettes de ce livre

Vous avez sans doute remarqué que chaque recette de ce livre vous donne le nombre d'échanges.

Exemple d'un menu avec illustration des échanges:

Crème de courgettes (p. 122) = $1/2$ échange de pain, 1 échange de légumes.

Brochette de bœuf mariné (p. 161) = 3 échanges de viande, $1/2$ échange de gras, 1 échange de légumes

Riz 125 ml ($1/2$ tasse) = 1 échange de pain

Carottes glacées à l'orange (p. 141) = 2 échanges de légumes

Mousse mangue et limette (p. 260) = 1 échange de fruits

2 biscuits secs = $1/2$ échange de pain

250 ml (1 tasse) de lait = 2 échanges de lait

Il est possible de vous procurer le *Guide d'alimentation pour la personne diabétique* en communiquant soit par télécopieur au 418 644-4574 ou par courriel à l'adresse suivante: communications@msss.gouv.qc.ca.

Agents sucrants et édulcorants

Chez une personne diabétique, les agents sucrants les plus courants comme le sucre, le miel, les sirops, peuvent provoquer une hausse rapide du taux de sucre dans le sang. Ils devraient donc être limités le plus possible et remplacés, dans certains plats où le goût sucré est nécessaire, par un sucre artificiel ou un édulcorant. Mais le sucre fait plus que sucrer les aliments; il aide à les dorer, à les rendre légers et croustillants. Quant aux édulcorants, ils ont chacun leurs avantages et leurs inconvénients. L'aspartame a un goût semblable à celui du sucre, mais il le perd à la cuisson. Les autres édulcorants liquides sont stables à la cuisson et peuvent être utilisés mais, contrairement au sucre, ils ne rendent pas les aliments croustillants et dorés. Les édulcorants granulés sont une combinaison d'un sucre artificiel et d'une quantité de sucre naturel tel du lactose ou du dextrose. Comme le sucre est indispensable dans certaines recettes, une petite quantité est tolérée: environ 1 c. à thé (à café) par repas et un maximum de 3 c. à thé (à café) par jour. Voici quelques indices pour faciliter les calculs:

1 tasse (250 ml) = 48 c. à thé (à café)

$1/2$ tasse (125 ml) = 24 c. à thé (à café)

$1/3$ de tasse (80 ml) = 16 c. à thé (à café)

$1/4$ de tasse (60 ml) = 12 c. à thé (à café)

Calcul du sucre

Donc, si une recette nécessite 80 ml (¹/₃ de tasse) de sucre pour 12 portions, vous pouvez calculer la quantité de sucre par portion de la façon suivante:

¹/₃ tasse = 16 c. à thé (à café)

16 c. à thé (à café) de sucre divisé par 12 portions = approximativement 1 c. à thé (à café) par portion

L'Association canadienne du diabète recommande d'essayer de ne pas dépasser 3 à 4 sachets par jour ou 6 à 8 c. à thé (à café) d'édulcorant granulé. Les recettes de desserts de ce livre sont préparées avec l'édulcorant Splenda. À quantité égale, il a le même pouvoir sucrant que le sucre. L'édulcorant est un palliatif pour ceux qui ont de la difficulté à s'adapter à un goût moins sucré. L'objectif visé demeure toutefois de vous adapter progressivement à un goût moins sucré et de savourer les aliments «nature».

Pour commander le document intitulé *Vive la santé, Vive la bonne alimentation*, qui vous sera très utile pour planifier vos repas ou pour obtenir plus d'informations au sujet du diabète, communiquez avec: Association du diabète du Québec, 8550 Boul. Pie 1X, suite 300, Montréal, Québec, H1Z 4G2, Tél.: 1 800 361-3504 ou Association canadienne du diabète, 15 rue Toronto, suite 1001, Toronto, Ontario, M5C 2E3.

Chapitre 11 # Planification des menus et visite en épicerie

PLANIFICATION DES MENUS

Une planification hebdomadaire de vos menus vous évitera des pas inutiles et vous incitera à oser essayer de nouvelles recettes tout en vous assurant que vous aurez sous la main tous les ingrédients nécessaires. Voici quelques suggestions qui vous aideront à planifier les menus d'une semaine:

- Consultez les circulaires des chaînes d'alimentation. Elles fournissent des idées pour varier vos menus et vous permettent également de faire des économies.
- Planifiez votre menu de la semaine à partir des rabais offerts, en incluant à chaque repas des aliments des quatre groupes du guide *Bien manger avec le Guide alimentaire canadien*. Veillez à harmoniser les couleurs et les saveurs.
- Faites votre choix de recettes.
- Faites une liste des aliments nécessaires.
- Faites un inventaire de ce que vous avez sous la main.
- Faites votre liste d'épicerie.
- Faites votre épicerie en n'oubliant pas de bien lire les étiquettes. Gardez aussi à l'esprit que la gourmandise débute à l'épicerie. Si vous n'achetez pas d'aliments que vous devez éviter, vous ne pourrez pas les consommer à la maison!

LECTURE DES ÉTIQUETTES

Vous voilà à l'épicerie! Comment faire les bons choix? Comment lire les fameuses étiquettes? Nous tenterons de vous simplifier la tâche, en vous expliquant ce que vous trouverez sur l'emballage. Nous vous suggérons:

- de lire ce chapitre attentivement;
- de photocopier séparément les Tableaux 15, 16 et 17 (p. 78, 80 et 82);
- de vous offrir une visite «d'apprentissage» en apportant vos tableaux et de vous familiariser avec le «vocabulaire» des étiquettes;
- de ne pas hésiter à faire plastifier les tableaux 15 et 17 et à toujours les apporter avec vous à l'épicerie.

Vous prendrez trois repas par jour pendant plusieurs années, aussi ne vaut-il pas la peine de prendre quelques heures d'apprentissage? Par la suite, la visite en épicerie se fera en un tour de main! Il est recommandé de ne pas faire l'épicerie à jeun et de prendre une collation santé avant de vous y rendre.

L'étiquette sur l'emballage des aliments est un outil indispensable pour bien les choisir. Cinq éléments importants y figurent: l'allégation nutritionnelle; l'allégation santé, le logo «Visez santé» (sur certains produits), le tableau de valeur nutritive et la liste d'ingrédients.

L'allégation nutritionnelle

L'allégation nutritionnelle est une affirmation réglementée par Santé Canada servant à souligner une caractéristique nutritionnelle d'un aliment. Elle est facultative et retrouvée sur certains produits alimentaires. Elle apparaît habituellement sur le devant des emballages alimentaires. Cependant, nous devons bien comprendre leur signification pour évaluer la valeur nutritive du produit. Nous vous présentons un tableau qui illustre les principales allégations nutritionnelles avec leur signification (tableau 15, p. 78).

L'allégation santé

L'étiquette de certains aliments peut maintenant inclure des allégations santé. Liées au régime alimentaire, celles-ci indiquent la relation entre l'alimentation et le risque de maladies. Les aliments doivent satisfaire à des critères stricts et bien établis pour pouvoir porter une allégation santé; de plus, la formulation des allégations est normalisée. Par exemple, les allégations santé liées aux maladies cardiaques se lisent comme suit:

- «Une alimentation saine, faible en graisses saturées et en acides gras trans, peut réduire le risque de maladies cardiaques. (Nom de l'aliment) contient peu de graisses saturées et d'acides gras trans.»
- «Une alimentation saine, comportant des aliments riches en potassium et faibles en sodium, peut réduire le risque d'hypertension artérielle, un facteur de risque d'accident vasculaire cérébral et de maladies cardiaques. (Nom de l'aliment) constitue une bonne source de potassium et est sans sodium.»

TABLEAU 15

LISTE DES DIFFÉRENTES ALLÉGATIONS NUTRITIONNELLES ET LEUR SIGNIFICATION

ALLÉGATIONS NUTRITIONNELLES:	SIGNIFICATION:
Sans sucres ajoutés ou **Non sucré**	L'aliment ne contient aucun sucre ajouté tel que du sucre, du miel, de la mélasse, des jus de fruits, du fructose, etc. Ces affirmations ne signifient pas que l'aliment ne contient aucun glucide mais qu'il peut renfermer des sucres faisant partie intégrante de l'aliment comme l'amidon, le lactose.
Faible en gras	L'aliment contient 3 g ou moins de lipide (gras) par portion.
Faible en gras saturés	L'aliment contient 2 g ou moins de gras saturés et gras trans combinés par portion.
Sans cholestérol	L'aliment contient moins de 2 mg de cholestérol par portion et doit être faible en gras saturés. Ce terme ne veut pas dire que l'aliment ne contient pas de matières grasses, il pourrait être riche en gras et en calories.
Sans sel ou **Sans sodium**	L'aliment contient moins de 5 mg de sodium par portion.
Faible en sel ou **Faible en sodium**	L'aliment contient au moins 25 % moins de sel que le produit original et pas plus de 140 mg de sodium par portion.
Sources de fibres	L'aliment contient au moins 2 g de fibres par portion.

Le logo «Visez santé»

Le programme «Visez santé» a été créé par la Fondation des maladies du cœur dans le but d'offrir aux Canadiens un outil supplémentaire et le soutien nécessaire pour faire des choix éclairés. Concrètement, il se présente sous forme d'un logo accompagné d'un message explicatif combiné au panneau «information nutritionnelle» sur chacun des produits participants (la participation est volontaire). Finie donc la confusion! Les critères nutritionnels mis de l'avant par le programme sont conformes à ceux du guide *Bien manger avec le Guide alimentaire canadien*. Ce sont ces mêmes critères qui déterminent si les aliments proposés sont admissibles dans le programme. Pour plus d'information sur «Visez santé», consultez le site Internet du programme: www.visezsante.org.

Le Tableau de valeur nutritive

Le tableau de valeur nutritive est obligatoire sur la plupart des produits préemballés depuis décembre 2005, à l'exception des produits suivants:

- Les fruits et légumes frais.
- La viande, la volaille, le poisson et les fruits de mer crus.
- Les aliments préparés au magasin à partir d'ingrédients de base: les produits de boulangerie, les saucisses et les salades.
- Les aliments qui contiennent très peu de nutriments: les grains de café, les feuilles de thé et les épices.
- Les boissons alcoolisées.

Le tableau de valeur nutritive a trois buts:

- Vous aider à choisir les aliments dont vous avez besoin.
- Permettre de comparer les aliments semblables.
- Identifier les aliments contenant peu ou pas d'un certain nutriment.

Maintenant voici les explications (voir l'exemple au Tableau 16, p. 80):

(1) Quantité spécifique ou portion; il faut toujours adapter la portion indiquée sur l'étiquette en fonction de celle consommée. Faites-le pour comparer deux aliments semblables.

(2) Quantité présente de chacun des 13 éléments nutritifs par portion.

(3) 13 éléments nutritifs essentiels.

(4) Les valeurs sont basées sur la quantité quotidienne recommandée pour un

TABLEAU 16

EXEMPLE D'UN TABLEAU DE LA VALEUR NUTRITIVE D'UNE ÉTIQUETTE

VALEUR NUTRITIVE

(1) Par 125 ml (87 g)

(2) Teneur	**(4) % valeur quotidienne**
(2) Calories 80	
(3) Lipides 0,5 g	(4) 1 %
(3) Saturés 0 g	
(3) + Trans 0 g	
(3) Cholestérol 0 mg	
(3) Sodium 0 mg	
(3) Glucides 18 mg	
(3) Fibres 2 g	
(3) Sucres	
(3) Protéines	
(3) Vitamine A	
(3) Vitamine C	
(3) Calcium	
(3) Fe	

adulte pour la plupart des éléments nutritifs essentiels. Le tableau permet de vérifier si un aliment renferme peu ou moins d'un élément nutritif. Il est basé sur un apport énergétique d'environ 2000 calories. Il est important de comparer la teneur en sodium de différents produits alimentaires.

Rappelez-vous que la consommation en sodium devrait être inférieure à 2300 mg/jour. Certains % de Valeur Quotidienne (VQ) nous permettent de définir si l'aliment est «à faible teneur» ou «à teneur élevée» en certains éléments nutritifs. Ce sont:

- Gras saturés et trans: un aliment ayant un % de la valeur quotidienne égal ou inférieur à 10 % est considéré à «faible teneur» en ces éléments nutritifs.
- Lipides, sodium et cholestérol: un aliment ayant un % de la valeur quotidienne égal ou inférieur à 5 % est considéré «à faible teneur» en ces éléments nutritifs.
- Fibres, fer, calcium: un aliment ayant un % de la valeur quotidienne égal ou

supérieur à 15 % est considéré «à teneur élevée» en ces nutriments.

Impossible, me direz-vous de vous souvenir de tout ça à l'épicerie! Vous avez raison. Nous avons conçu pour vous un petit outil précieux, «Critères de sélection pour le choix d'aliments santé», que nous vous encourageons à photocopier, à faire plastifier, à glisser dans votre porte-monnaie et à consulter lorsque vous ferez votre visite «d'apprentissage» en épicerie d'abord et pour toutes vos autres visites par la suite.

Tel qu'il a été mentionné précédemment, on ne trouve pas de tableau de la valeur nutritive sur les emballages des viandes et des poissons frais. Pour les viandes, voici la liste des coupes maigres suggérées à consommer sur une base régulière: viande hachée extra-maigre, ronde, longe, surlonge, filet, côtelette papillon, escalope, poitrine de poulet sans peau. À dégraisser avant de cuire. Pour les autres coupes non mentionnées, vous pouvez les consommer occasionnellement. Pour les poissons, consulter la liste des poissons suggérés au chapitre 7 (p. 42) afin de consommer les poissons les plus riches en oméga-3.

La liste d'ingrédients

L'étiquette d'un aliment peut vous réserver des surprises... Saviez-vous, par exemple, qu'il existe différentes appellations pour désigner les sucres, les gras et le sel présents dans les aliments? En voici des exemples:

- sucres: fructose, sucrose, lactose, maltose, dextrose, dextrine, sucres invertis, sucre, miel ou mélasse.
- gras: glycérides, monoglycérides, esters (le glycérol, shortening, huiles végétales hydrogénées, phospholipides, huiles de palme ou de palmiste).
- sel: saumure, bicarbonate de soude, monoglutamate (le sodium, *Accent*, sel de mer et tous les mots se terminant par sodique, sodium, varech, sauce soya).

Les ingrédients de la liste figurent toujours par ordre décroissant de poids. Les aliments dont l'un ou l'autre des termes ci-dessus mentionnés figurent en premier ou en deuxième lieu de la liste d'ingrédients, devraient donc être consommés modérément, puisqu'ils peuvent augmenter considérablement l'apport quotidien en sucres, en gras ou en sel.

TABLEAU 17

CRITÈRES DE SÉLECTION POUR LE CHOIX D'ALIMENTS SANTÉ

		LIPIDES		SODIUM	GLUCIDES		PROTÉINES
	Totaux	Saturés	Trans		Fibres	Sucre	
Pain, **1 tranche, 50 g**			5 % ou moins des lipides	480 mg ou moins	2 g et plus (> 8 % VQ)		
Céréales **30 g**		2 g et moins (< 10 % VQ)	5 % ou moins des lipides	480 mg ou moins	3 g et plus (> 8 % VQ)	6 g et moins	
Biscuits **30 g**		2 g et moins (< 10 % VQ)	5 % ou moins des lipides	480 mg ou moins		6 g et moins	
Craquelins **20-30 g**	3 g et moins	2 g et moins (> 5 % VQ)	5 % ou moins des lipides	300 mg ou moins	2 g et plus (> 8 % VQ)		
Barres tendres		2 g et moins (> 10 % VQ)	5 % ou moins des lipides	480 mg ou moins	2 g et plus (> 8 % VQ)		
Pâtes alimentaires **85 g sèches** **ou 215 g cuites** **ou fraîches**				480 mg ou moins	4 g et plus		
Repas surgelés **215-285 g**	10 g et moins (< 15 % VQ)	2 g et moins (< 10 % VQ)	5 % ou moins des lipides	720 mg et moins (< 30 % VQ)			10 g et plus
Soupes **commerciales** **250 ml**	3 g ou moins (< 5 % VQ)		5 % ou moins des lipides	650 mg ou moins			
Lait **250ml (1 tasse)**	2 % et moins			240 mg ou moins			
Yogourt **175 g**	2 % et moins			480 mg ou moins			
Fromage **30 g**	2 % et moins			480 mg ou moins			
Desserts **glacés**	3 g ou moins		5 % ou moins des lipides	480 mg ou moins		le minimum	

Légende   >: plus grand que
<: plus petit que
VQ: Valeur quotienne

Ce tableau contient les aliments les plus usuels et est tiré du programme «Visez santé» de la Fondation Québécoise des Maladies du Cœur. Si vous désirez des informations plus exaustives, nous vous encourageons à consulter le site internet de La Fondation, le www.visezsanté.org «critères nutritionnels». N'hésitez pas à l'imprimer, à le plastifier et à l'apporter avec vous lors de votre visite en épicerie. C'est un outil parfait pour apprendre à faire les bons choix.

Chapitre 12 Modification des recettes

MÉTHODE DE TRAVAIL

Vous êtes maintenant prêt à découvrir de nouvelles recettes! Un nouveau livre de recettes, on l'achète, on le feuillette, on essaie quelques recettes et souvent on le met de côté. Si vous désirez vraiment rentabiliser l'achat que vous venez de faire, pourquoi ne pas suivre les conseils suivants?

- Commencez par essayer une nouvelle recette par semaine. Indiquez à l'aide d'un crochet si c'est pour vous une recette gagnante.
- Conservez ce rythme et, progressivement, vous modifierez votre alimentation.
- Maintenant que l'étiquette nutritionnelle vous est familière, vous pouvez comprendre la valeur nutritive de chaque recette, n'hésitez donc pas à vous en servir.
- Si vous avez des questions, pourquoi ne pas vous faire le cadeau d'une consultation avec une diététiste/nutritionniste qui sera en mesure de répondre à toutes vos questions et aussi vous guidera à entreprendre une alimentation savoureuse et santé?
- Pour vous aider à modifier vos recettes, vous trouverez quelques suggestions de substitution au Tableau 18 (p. 85).

Osez modifier une recette si elle vous plaît moins et adaptez-la à votre goût. Vous remarquerez sans doute que quelques recettes de ce livre ressemblent à celles de vos plats préférés où le beurre, le sucre ou le sel a été remplacé, diminué ou tout simplement éliminé. Prenez note de ces modifications et appliquez-les à d'autres recettes familiales. Nous vous proposons l'exemple d'une recette modifiée par Madame Cornellier au Tableau 19 (p. 86). À vous maintenant de vous lancer et de modifier les recettes qui vous tiennent à cœur!

Saviez-vous qu'il existe des cours de cuisine santé? Ceux-ci vous aideront particulièrement si:

- vous hésitez encore à passer à l'action;
- vous avez un plan personnalisé de modifications alimentaires, mais vous n'avez plus la motivation pour persister;
- vous cuisinez depuis de nombreuses années et êtes à court d'imagination;

TABLEAU 18

SUBSTITUTIONS D'INGRÉDIENTS POUR AMÉLIORER VOS RECETTES

Remplacez:	Par:	Dans:
Crème sûre	Crème sûre légère, yogourt nature ou fromage cottage, 1 à 2 c. à table de jus de citron, fromage ricotta léger ou dama blanc ou quark, mélange de yogourt et de ricotta	Trempette, vinaigrette, sauce à fondue chinoise
Mayonnaise	Mayonnaise légère, mélange de yogourt et de ricotta	Trempette, vinaigrette, sauce à fondue chinoise
Lait entier	Lait écrémé, 1 ou 2 %	Béchamel, pouding, cossetarde
Crème 15 ou 35 %	Lait et légume qui contient de l'amidon (pomme de terre, courge ou maïs), lait et pâte alimentaire ou céréales (riz, orge...) ou fécule de maïs ou de pomme de terre	Potage
Crème fouettée	250 ml (1 tasse) de fromage ricotta léger + 3 c. à soupe de yogourt nature + 2 c. à soupe de sucre. Ricotta fouettée au mélangeur + jus de fruits + miel+ essence au goût	Dessert Glaçage des gâteaux
Beurre, saindoux ou Shortening	Margarine non hydrogénée, Huile de canola ou de carthame	Biscuits, gâteaux, muffins
Shortening ou saindoux	Margarine non hydrogénée mise au congélateur 30 minutes	Pâte à tarte
1 œuf	2 blancs d'œufs ou 1 blanc d'œuf + 1 c. à thé (à café) d'huile végétale	Biscuits, gâteaux, muffins, crêpes
Jaune d'œuf comme agent épaississant	Fécule de maïs ou de pomme de terre	Sauce
Fromage gras	Fromage contenant moins de 20 g de matière grasse	Gratin, pizza, lasagne
Chocolat	Caroube	Desserts
Vinaigrette du commerce	Vinaigrette maison: huiles d'olive ou de canola, vinaigres de cidre ou balsamique, ou jus de citron	Salades
Quantité de gras demandée	Diminuer du tiers la quantité de gras de la recette originale	Muffins (60 ml ou $1/4$ de tasse de gras pour 12 muffins)
Pepperoni	Poulet, thon ou légumes seulement	Pizza

Tableau 19

COMPARAISON DES INGRÉDIENTS ENTRE UNE RECETTE ORIGINALE ET UNE RECETTE MODIFIÉE SANTÉ

RECETTE ORIGINALE	RECETTE MODIFIÉE
Bœuf bourguignon classique	**Bœuf bourguignon classique (Margot Brun Cornellier)**
6 PORTIONS	6 PORTIONS
1 kg (2 lb) de bœuf dans l'épaule ou dans la ronde	1 kg (2 lb) de bœuf très maigre en cubes
4 tranches de lard salé gras	1 c. à soupe d'huile d'olive
60 ml (1/4 de tasse) de farine	60 ml (1/4 de tasse) de farine
1 c. à thé (à café) de sel	1 c. à thé (à café) de sel
1/4 c. à thé (à café) de poivre	1/4 de c. à thé (à café) de poivre
1 poireau	3 oignons verts hachés
1/4 de c. à thé (à café) de thym	1/4 de c. à thé (à café) de thym
60 ml (1/4 de tasse) de persil haché	60 ml (1/4 de tasse) de persil haché
2 gousses d'ail émincées	2 gousses d'ail émincées
250 ml (1 tasse) de vin rouge sec	250 ml (1 tasse) de vin rouge
250 ml (1 tasse) de carottes en rondelles	250 ml (1 tasse) de carottes en rondelles
250 ml (1 tasse) de petits oignons	250 ml (1 tasse) de petits oignons
250 ml (1 tasse) de petits champignons frais	250 ml (1 tasse) de petits champignons frais
2 c. à soupe de beurre	250 ml (1 tasse) de bouillon de poulet maison (voir recette p. 121)

- vous n'avez jamais cuisiné et vous désirez prendre la relève ou collaborer à la préparation des repas;

- vous désirez prévenir la maladie coronarienne;

- vous n'arrivez pas à modifier vos propres recettes.

Pour vous inscrire à un cours, vous pouvez obtenir des informations en vous adressant au service de diététique de votre hôpital, à votre centre de santé ou CLSC local ou à la commission scolaire de votre région.

TABLEAU 20

COMPARAISON DES VALEURS NUTRITIVES ENTRE UNE RECETTE ORIGINALE ET UNE RECETTE MODIFIÉE SANTÉ

RECETTE ORIGINALE
Bœuf bourguignon classique

Par portion	Teneur	% VQ
Calories	465	
Lipides	25 g	39 %
Saturés	12 g	62 %
+ Trans	0,1 g	
Polyinsaturés	2 g	
Oméga-6	1,7 g	
Oméga-3 (ALA)	0,4 g	
Oméga-3 (EPA+DHA)	0 g	
Monoinsaturés	12 g	
Cholestérol	113 mg	38 %
Sodium	639 mg	27 %
Potassium	1022 mg	30 %
Glucides	12 g	4 %
Fibres alimentaires	1,5 g	7 %
Sucres	3 g	
Protéines	39 g	
Vitamine A		19 %
Vitamine C		14 %
Calcium		4 %
Fer		31 %
Vitamine D		40 %
Vitamine E		5 %
Vitamine K		23 %

RECETTE MODIFIÉE
Bœuf bourguignon classique (Margot Brun Cornellier)

Par portion	Teneur	% VQ
Calories	360	
Lipides	14 g	23 %
Saturés	4,5 g	24 %
+ Trans	0 g	
Polyinsaturés	1 g	
Oméga-6	0,8 g	
Oméga-3 (ALA)	0,1 g	
Oméga-3 (EPA+DHA)	0 g	
Monoinsaturés	6 g	
Cholestérol	82 mg	28 %
Sodium	531 mg	23 %
Potassium	1051 mg	31 %
Glucides	11 g	4 %
Fibres alimentaires	1 g	5 %
Sucres	3 g	
Protéines	39 g	
Vitamine A		14 %
Vitamine C		12 %
Calcium		4 %
Fer		31 %
Vitamine D		27 %
Vitamine E		5 %

Chapitre 13 Repas au restaurant

INTRODUCTION

Notre rythme de vie nous amène à manger de plus en plus souvent au restaurant. La restauration nous offre toute une gamme de services pour satisfaire les plus fins palais. Que ce soit pour un repas en agréable compagnie, un repas d'affaires, un repas à votre lieu de travail ou sur le pouce, il est possible de savourer les plaisirs de la restauration tout en bénéficiant d'une saine alimentation. La plupart des restaurateurs affichent leur menu à l'entrée de leur établissement. Prenez le temps d'y jeter un coup d'œil afin d'évaluer si les mets vous conviennent. Vous pouvez téléphoner au préalable et vous informer des choix du menu. Il est certain que si vous allez au restaurant une fois par semaine et moins, vous pouvez vous permettre votre plat favori, même s'il n'est pas santé.

CONSEILS GÉNÉRAUX POUR FAIRE LES «BONS CHOIX»
L'apéritif

Si vous avez à éviter l'alcool, optez pour une eau de source citronnée, un jus de légumes ou de tomate, ou une bière sans alcool. Si vous avez une restriction de sodium, les jus de tomate ou de légumes en conserve ne doivent pas être consommés plus d'une ou deux fois par semaine. À l'occasion, célébrez avec un spitzer (moitié soda moitié vin blanc). Si vous consommez de l'alcool, essayez de ne pas prendre plus d'un verre de vin de 150 ml (5 oz), de 45 ml (1 1/2 oz) d'alcool, ou d'une bière.

L'entrée

Choisissez une salade verte ou des crudités et demandez que la vinaigrette soit servie à part. Choisissez un bouillon ou un potage, et informez-vous s'il est à base de lait ou de crème. Soyez vigilant et ne consommez pas trop de pain. Choisissez-le de préférence de blé entier (complet) et évitez autant que possible le gras. Si vous optez pour une salade César, demandez la vinaigrette à part.

Le plat principal

Choisissez des mets pauvres en matières grasses. Recherchez les expressions «à la vapeur», «grillé», «poché», «rôti», «au jus», «à la sauce tomate», «nature». Choisissez les restaurants où l'on offre des mets santé. Demandez toujours la sauce à part et utilisez-la en petite quantité. Si les portions sont grosses, ne vous sentez pas obligé de terminer votre assiette. Si vous avez une restriction de sodium, prenez garde aux aliments marinés et fumés. La pizza est un mets nutritif, mais attention au pepperoni, aux anchois, au bacon et à la viande fumée. Optez pour une pizza aux légumes ou aux fruits de mer. Dans les restaurants à service rapide, les meilleurs choix sont: un hamburger simple garni de laitue et de tomate, un sandwich au poulet grillé, des fajitas ou un sous-marin de viande sans mayonnaise (rôti de bœuf, poulet grillé), un panini aux légumes grillés.

Les accompagnements

Choisissez une pomme de terre au four ou bouillie, des légumes, du riz vapeur ou des pâtes alimentaires nature plutôt que des frites, des légumes en sauce ou du riz frit.

Le dessert

Terminez votre repas par un dessert léger: fruits frais en coupe ou nature, sorbet, gélatine aromatisée, dessert au lait, yogourt glacé ou gâteau des anges. Demandez du lait à 2 % de matières grasses plutôt que de la crème pour votre café.

CONSEILS POUR LA CUISINE ETHNIQUE

Cuisine chinoise et vietnamienne

Attention aux aliments cuits en grande friture. Préférez les plats de légumes et un riz vapeur. Évitez les buffets car ils incitent à manger davantage. De nombreux mets chinois sont très salés; demandez, si possible, que la préparation se fasse avec une quantité réduite de sel et sans glutamate monosodique. Optez pour les plats dont les aliments sont bouillis, cuits à la vapeur ou légèrement frits dans l'huile végétale.

Cuisine française

Les sauces hollandaise, béchamel à la crème et béarnaise devraient être évitées. Choisissez plutôt celles à base de vin (bordelaise), de tomate (provençale) ou de lait (béchamel). La soupe à l'oignon et les plats gratinés sont à éviter.

Cuisine grecque

Les mets grecs sont souvent riches en matières grasses. Optez pour un tzatziki (sauce à base de yogourt et de concombre), une salade, un kebab (brochette d'agneau et de légumes grillés) et un plat cuit au four ou à base de tomate. Attention à la pâte filo qui est riche en matières grasses.

Cuisine indienne

Les plats indiens sont très épicés et pauvres en matières grasses. Le ghee (beurre clarifié) utilisé pour la cuisson des légumes est le seul aliment à éviter. Les salades et les mets à base de poulet, de poisson ou de lentilles sont tous d'excellents choix.

Cuisine italienne

Les pâtes sont excellentes pour la santé. Comme les pâtes fraîches sont préparées avec des œufs, comptez un œuf par portion de 150 g (1 tasse) que vous consommez. Toutefois, évitez de les choisir avec de la viande grasse, du beurre ou une sauce à la crème. Les sauces suivantes sont recommandées: marsala, mariana, primavera et à base de vin. Le veau et le poulet panés comme le parmigiana doivent être évités car ils sont riches en matières grasses. De préférence, mangez le pain sans beurre ou demandez de la margarine. Pour le dessert, optez pour une glace italienne.

Cuisine japonaise

Les mets japonais sont très salés mais généralement pauvres en matières grasses. Optez pour les mets végétariens et le riz vapeur. Les plats à base de bœuf et de poulet sont également de bons choix. Les mets à éviter sont les fritures (tempura), les soupes salées (miso) et les sauces. Les sushi sont un très bon choix; par contre, évitez ceux qui contiennent de la friture.

Cuisine mexicaine

La cuisine mexicaine est saine et nourrissante. Les burritos (languettes de viande gratinées avec légumes enroulés dans une pâte de maïs) et les tacos (croustilles de maïs servies avec viande, purée de haricots rouges, salades, crème sure) ainsi que les viandes, volailles et poissons grillés et épicés sont d'excellents choix ainsi que le ceviche (poisson mariné dans du jus de citron). Évitez les tortillas (croustilles de maïs) et les nachos car ils sont très riches en matières grasses. Demandez qu'on serve la crème sure et le fromage à part.

Cuisine de l'Europe de l'Est

Le bortsch (soupe à la betterave) accompagné de yogourt, les rouleaux de chou farcis et les pirogis (raviolis garnis de pomme de terre et de fromage cottage) sont particulièrement recommandés.

CONSEILS POUR LES DIFFÉRENTS TYPES DE CUISINE

Les buffets

Les buffets à volonté devraient être une occasion de déguster de nouveaux mets. Choisissez des mets à teneur réduite en gras et évitez les charcuteries et les salades contenant une grande quantité de mayonnaise ou de vinaigrette. Apprenez à écouter votre faim pour ne pas manger de façon exagérée.

Les fruits de mer

Les fritures, les poissons à la meunière ou en casserole, et les soupes à base de crème (chaudrée de palourdes par exemple) sont à éviter. Informez-vous si elles sont bien préparées à base de crème. Si oui, il est alors préférable de les remplacer par une autre variété de soupe ou un jus de tomate ou de légume. Optez pour les mets pochés, grillés ou cuits sans ajout de gras. Si vous désirez de la sauce, demandez-la à part et utilisez-en une petite quantité, ou accompagnez votre poisson de jus de citron ou de lime.

Les fondues

Les fondues sont à éviter au restaurant. L'huile utilisée pour la fondue bourguignonne n'est pas toujours celle qui vous est recommandée et les bouillons des fondues chinoises sont souvent trop salés. Utilisez très modérément les sauces d'accompagnement.

Les grillades

Optez pour un filet mignon, un bifteck de flan ou de ronde, et limitez-vous à une portion de 120 à 180 g (4 à 6 oz). Demandez, si possible, que la cuisson soit sans gras et que le gras visible soit retiré avant la cuisson. Évitez de consommer la peau du poulet et la sauce. Évitez les frites; accompagnez plutôt votre viande de légumes, d'une pomme de terre au four ou de riz, et d'une salade verte.

Chapitre 14 Anticoagulothérapie et vitamine K

DÉFINITION

Il est possible que votre médecin vous ait prescrit un médicament qu'on appelle *anticoagulant* dans le but «d'éclaircir» votre sang. Nous allons ensemble définir ce qu'on entend par anticoagulothérapie et par la suite voir la relation qui existe entre cette prise de médicaments et l'alimentation.

L'anticoagulothérapie peut se définir comme la prise de certains médicaments tels que la warfarine (Coumadin) ou le Sintrom, afin de prévenir la formation de caillots sanguins à l'intérieur de votre cœur ou autour de votre prothèse valvulaire, en ralentissant le temps de coagulation du sang.

RELATION ENTRE LES ANTICOAGULANTS ET L'ALIMENTATION (VITAMINE K)

Plusieurs aliments contiennent de la vitamine K, qui joue un rôle essentiel dans la coagulation de votre sang: elle contribue à la formation d'un caillot lors d'un saignement. Les anticoagulants et la vitamine K, que l'on retrouve dans certains aliments, agissent donc de façon contraire dans le processus de la coagulation de votre sang. Il faut trouver une façon de les utiliser sans qu'ils se nuisent dans leur action. La vitamine K se trouve principalement dans certains légumes verts. Il ne faut surtout pas les retirer de votre alimentation, si vous avez l'habitude de les consommer. Ces légumes renferment beaucoup d'autres vitamines essentielles à votre santé.

LA VITAMINE K ET L'ALIMENTATION

Une personne traitée aux anticoagulants doit donc s'assurer de n'avoir ni excès ni carence en vitamine K. L'alimentation doit cependant renfermer une proportion suffisante de vitamine K et ces quantités doivent être consommées le plus également possible car les fluctuations importantes risquent d'être néfastes.

Vous pouvez vous assurer que votre alimentation ne viendra pas nuire à l'anticoagulothérapie en respectant les règles suivantes:

- Connaître les aliments à forte teneur en vitamine K (voir la liste p. 95).

- Ne consommer qu'un seul aliment riche en vitamine K par jour et se limiter à la portion suggérée. Il n'est pas obligatoire d'en consommer tous les jours. Par contre, il est important de consommer à chaque semaine environ la même quantité d'aliments riches en vitamine K. Par exemple: si vous consommez du brocoli trois fois dans une semaine, la semaine suivante il est suggéré de choisir trois aliments différents dans la liste d'aliments à forte teneur en vitamine K ci-dessous.
- Ne pas intégrer les aliments riches en vitamine K à votre menu si vous ne les aimez pas.
- Éviter les modifications draconiennes de vos habitudes alimentaires (diète amaigrissante, passage au végétarisme, ajout d'un aliment au quotidien ou en excès).
- Informer votre équipe de soins de tout changement important ou de toute circonstance pouvant influencer la stabilité du temps de coagulation de votre sang (ex: voyage, deuil, changement de médicament, apparition de maladie).
- Limiter votre consommation d'alcool (1 ou 2 consommations/jour).
- Éviter les suppléments naturels interagissant avec votre anticoagulant. Ne consommer les autres suppléments que sous surveillance médicale.
- Les suppléments de vitamine K ou de multivitamines qui renferment de la vitamine K sont à éviter, tout comme les formules nutritives du commerce enrichies en vitamine K.

Certains aliments contiennent une teneur plus élevée en vitamine K. On suggère donc de respecter les quantités mentionnées. Ce sont:

ALIMENTS	PORTION MAXIMALE
Asperges	250 ml (1 tasse)
Bette à carde crue	125 ml (½ tasse)
Brocoli	3 fleurons
Choux de Bruxelles	4 fleurons
Chou vert	250 ml (1 tasse)
Épinards crus	250 ml (1 tasse)
Laitue Boston	250 ml (2 tasses)
Laitue rouge	250 ml (1 tasse)
Haricots mungos	125 ml (½ tasse)

- Vous pouvez choisir un seul de ces aliments par jour en ne dépassant pas la portion suggérée. Si ces légumes ne correspondent pas à vos choix habituels, vous n'êtes pas obligé d'en manger. Pour ce qui est des légumes verts qui ne figurent pas sur cette liste, consommez-en comme vous le faites habituellement car ils ne contiennent pas beaucoup de vitamine K.
- À noter que les sushis faits avec des algues ne doivent pas êtres consommés comme mets principal. Celles-ci sont très riches en vitamine K.
- Éviter le chou frisé et le chou cavalier (vert).
- Utilisez les fines herbes fraîches comme assaisonnement seulement.

SUPPLÉMENTS NATURELS ET VITAMINIQUES

Les suppléments vitaminiques en vente libre peuvent interagir avec votre médication. Considérant leur risque sur le contrôle du Coumadin (warfarine), ces suppléments sont à éviter:

- Vitamine E
- Acide folique
- Comprimés d'algue
- Ginseng
- Comprimés d'ail
- Ginkgo
- Glucosamine, chondroïtine
- Oméga-3
- Coenzyme Q10
- Angélique chinoise
- Sauge rouge
- Millepertuis

Ne consommez les autres suppléments que sous surveillance médicale.

Chapitre 15 # Guide d'autoévaluation et d'autoenseignement

Ce guide d'autoévaluation et d'autoenseignement constitue l'évaluation de votre équilibre alimentaire. Il permet d'analyser vos habitudes par rapport aux recommandations faites précédemment au sujet des gras alimentaires, du cholestérol, des sucres concentrés, des fibres et du sel. De plus, il vous aide à détecter les habitudes que vous devriez acquérir et les nouveaux comportements alimentaires que vous devriez adopter.

Avant de passer à l'action, il est important de prendre conscience de vos propres habitudes alimentaires. Commencez par noter tout ce que vous mangez pendant trois jours (deux jours de semaine et une journée de fin de semaine). Cela vous aidera à visualiser vos propres habitudes alimentaires et à remplir le guide qui suit. Nous vous suggérons de le remplir avec la personne qui prépare habituellement les repas et qui fait l'épicerie.

Modifier ses habitudes alimentaires ne se fait pas en un jour; il n'y a pas de recette miracle. Il faut bien sûr de la patience et de la persévérance, mais les résultats sont toujours encourageants et ils contribuent à une santé optimale. Pour vous faciliter la tâche, nous vous suggérons de remplir les tableaux aux pages 98 à 102.

1. a) Cochez la case «habitude acquise», si l'habitude fait partie de votre quotidien.

b) Cochez la case «habitude à acquérir», si l'habitude ne fait pas partie de votre quotidien. C'est un comportement qu'il vous faudra adopter.

2. a) Parmi les cases «à acquérir», choisissez celle qui vous semble la plus facile. Sélectionnez-en seulement une à la fois et inscrivez dans la case «date de départ» la date où vous commencez à modifier cette habitude. Vous pouvez également combiner deux modifications si l'une est une réduction et l'autre une augmentation (moins de gras et plus de légumes par exemple).

b) Inscrivez dans la case «date d'arrivée» la date où vous avez acquis ce comportement et passez ensuite à la modification suivante.

Le guide d'autoévaluation et d'autoenseignement vous permettra d'évaluer:

1. votre équilibre alimentaire

2. vos habitudes de consommation en ce qui a trait aux sources de gras saturés

et au cholestérol, aux sources de sucres concentrés et alcool, aux sources de fibres et aux sources de sel.

Sources de sucres concentrés et alcool

Ces changements alimentaires concernent surtout les gens qui sont diabétiques, qui ont des triglycérides élevés ou qui sont obèses, et aussi tous ceux qui veulent bien s'alimenter selon les recommandations du Consensus canadien sur le cholestérol.

ÉQUILIBRE ALIMENTAIRE

Énoncé	Habitude acquise	Habitude à acquérir	Date de départ	Date d'arrivée
Chaque jour, je consomme:				
2 à 3 portions de lait et substituts	☐	☐	_____	_____
6 à 8 portions de produits céréaliers	☐	☐	_____	_____
2 à 3 portions de viande, volaille, poisson ou substitut	☐	☐	_____	_____
7 à 10 portions de légumes et fruits	☐	☐	_____	_____

N. B.: Pour connaître la taille des portions, consultez le guide *Bien manger avec le Guide alimentaire canadien.*

SOURCES DE GRAS SATURÉS ET DE CHOLESTÉROL

Ces changements alimentaires concernent plus particulièrement les personnes qui ont un taux de cholestérol élevé et toutes celles qui veulent bien s'alimenter en se basant sur les recommandations du Consensus canadien sur le cholestérol.

Énoncé	Habitude acquise	Habitude à acquérir	Date de départ	Date d'arrivée
Je dégraisse les soupes et les sauces refroidies.	☐	☐	_____	_____
Je choisis des coupes de viande maigres (ex: steak haché maigre)	☐	☐	_____	_____
J'enlève tout le gras visible de la viande avant la cuisson.	☐	☐	_____	_____
J'enlève la peau de la volaille et tout le gras avant la cuisson.	☐	☐	_____	_____
J'utilise peu ou pas de gras pour la cuisson. J'évite les fritures.	☐	☐	_____	_____
Je consomme de la volaille au moins deux fois par semaine.	☐	☐	_____	_____
Je consomme du poisson au moins deux fois par semaine.	☐	☐	_____	_____
Je limite ma consommation de foie ou autres abats à une fois par semaine.	☐	☐	_____	_____
Je consomme au maximum deux jaunes d'œufs par semaine.	☐	☐	_____	_____
Je limite ma consommation de crevettes à quatre ou cinq moyennes par portion.	☐	☐	_____	_____
Lorsque je consomme des charcuteries, j'opte pour des produits contenant moins de gras et moins de sel comme l'indique l'étiquette.	☐	☐	_____	_____
J'évite de consommer des frites surgelées, même celles sans cholestérol.	☐	☐	_____	_____

SOURCES DE GRAS SATURÉS ET DE CHOLESTÉROL (suite)

Énoncé	Habitude acquise	Habitude à acquérir	Date de départ	Date d'arrivée
Je choisis des fromages qui contiennent moins de 20 % de matières grasses.	☐	☐	_____	_____
Je choisis le lait écrémé, ou à 1 ou 2 % de matières grasses.	☐	☐	_____	_____
Je fais mes desserts à base de lait avec du lait 2 % ou 1 % de matières grasses ou écrémé.	☐	☐	_____	_____
Je choisis un yogourt à 2 % et moins de matières grasses.	☐	☐	_____	_____
Dans mes recettes, j'utilise du yogourt ou du fromage écrémé (ex: fromage blanc, quark, etc.) pour remplacer la crème et la crème sure.	☐	☐	_____	_____
Pour tartiner, j'utilise une margarine molle qui contient moins de 20 % ou 1,5 g de gras saturés par portion.	☐	☐	_____	_____
Lorsque j'utilise des gras pour la cuisson, je mélange moitié margarine molle non hydrogénée et moitié huile monoinsaturée (huile de canola, d'olive) et je limite les quantités utilisées.	☐	☐	_____	_____
Dans mes recettes, je remplace le beurre, le saindoux et le shortening par des margarines ou des huiles recommandées.	☐	☐	_____	_____
Je lis les étiquettes des aliments afin de détecter les gras saturés à éviter: huile de palme ou de palmiste, huile de coco, huile hydrogénée.	☐	☐	_____	_____
Je ne consomme pas plus de 4 à 6 cuillerées à thé (à café) de gras par jour.	☐	☐	_____	_____

SOURCES DE SUCRE

Énoncé	Habitude acquise	Habitude à acquérir	Date de départ	Date d'arrivée
Je remplace les boissons gazeuses ordinaires par des boissons gazeuses diététiques ou encore mieux par de l'eau ou des jus de fruits non sucrés.	☐	☐	_____	_____
Je remplace les boissons alcoolisées par de la bière ou du vin sans alcool.	☐	☐	_____	_____
Je choisis des jus non sucrés au lieu des boissons ou des nectars.	☐	☐	_____	_____
Je diminue graduellement la quantité de sucre, miel ou autre sucre dans mes boissons chaudes.	☐	☐	_____	_____
Je remplace les céréales raffinées par des céréales de grains entiers (complètes) sans sucre ajouté.	☐	☐	_____	_____
J'incorpore des fruits à mes céréales au lieu du sucre ou du miel.	☐	☐	_____	_____
Je réserve les gâteaux et pâtisseries pour les occasions spéciales; je les confectionne moi-même avec des gras recommandés (p. 85), j'utilise de la farine de blé entier (complète) et j'ajoute des fruits tout en réduisant la quantité de sucre.	☐	☐	_____	_____
J'évite d'acheter des aliments à teneur élevée en sucres concentrés (voir p. 55).	☐	☐	_____	_____
J'utilise comme glaçage à gâteau des yogourts ou des coulis de fruits.	☐	☐	_____	_____
Je garnis les tartes d'un remplissage non additionné de sucre et je prépare la pâte avec de la margarine.	☐	☐	_____	_____
Je me sucre le bec avec des bonbons à teneur réduite en sucres concentrés ou des fruits secs.	☐	☐	_____	_____
J'utilise des biscuits secs garnis de confitures légères plutôt que des biscuits à la crème, au chocolat ou à la guimauve.	☐	☐	_____	_____
J'utilise des fruits en conserve dans leur jus ou je les passe sous l'eau pour enlever le sucre.	☐	☐	_____	_____

SOURCES DE FIBRES

Énoncé	Habitude acquise	Habitude à acquérir	Date de départ	Date d'arrivée
Je consomme des céréales à grains entiers (complètes) peu sucrées (soit moins de 5 g de sucre par portion) et qui contiennent plus de 2 g de fibres par portion.	☐	☐	_____	_____
J'augmente mon apport en fibres en consommant des produits de boulangerie à grains entiers (complets).	☐	☐	_____	_____
J'ajoute du son d'avoine ou de blé à mes préparations culinaires (ex: pain de viande, muffins).	☐	☐	_____	_____
Je consomme au moins 3 à 5 fruits et 3 à 5 légumes crus ou cuits par jour	☐	☐	_____	_____
Je consomme une portion (180 à 250 ml ou 3/4 à 1 tasse) de légumineuses cuites au moins une fois par semaine (ex: lentilles, haricots rouges ou blancs, pois chiches, etc.).	☐	☐	_____	_____
J'ajoute des légumineuses dans les soupes, salades, plats mijotés.	☐	☐	_____	_____
Je mange la pelure comestible des fruits et des légumes.	☐	☐	_____	_____
Je remplace le sucre par des fruits secs et des noix dans les céréales et les desserts maison.	☐	☐	_____	_____

SOURCES DE SEL

Énoncé	Habitude acquise	Habitude à acquérir	Date de départ	Date d'arrivée
Je remplace les concentrés de bouillon (cubes, poudre ou liquide) par des bouillons maison peu salés et dégraissés, ou des concentrés qui renferment peu de gras et de sel.	☐	☐	_____	_____
Je consomme des soupes maison peu salées plutôt que les soupes en conserve ou en sachets.	☐	☐	_____	_____
Je choisis des craquelins non salés.	☐	☐	_____	_____
Je limite ma consommation de jus de tomate ou de jus de légumes à 120 ml (4 onces) 2 fois par semaine; si je désire en consommer davantage, je mélange moitié l'un de ces jus et moitié jus de tomate non salé.	☐	☐	_____	_____
Je sale légèrement à la cuisson et j'évite de saler à table.	☐	☐	_____	_____
J'utilise comme assaisonnements les fines herbes, les assaisonnements en poudre, les vinaigrettes maison, l'ail, les oignons, le poivre et les poivres aromatisés.	☐	☐	_____	_____

Chapitre 16   Analyse nutritionnelle

Toutes les recettes de ce livre ont été analysées à partir du logiciel Nutrisiq. La base de données de ce logiciel est le Fichier canadien sur les éléments nutritifs, version 2005. Les valeurs nutritives devraient être considérées comme des valeurs approximatives à cause des écarts entre les différentes tables de valeurs nutritives et à cause de la multitude de facteurs qui peuvent faire varier le rendement d'une recette.

Pour le calcul des échanges pour diabétiques:

- Nous avons d'abord déterminé la taille de la portion des aliments dont la recette était composée.

- Nous avons identifié par la suite les groupes d'aliments dont la quantité était suffisante pour qu'on les retienne comme un échange.

- Nous avons, à l'aide du *Guide d'alimentation pour la personne diabétique*, déterminé la quantité de protéines, glucides et lipides propre à chaque groupe d'aliment.

- Nous avons déterminé le nombre d'échanges pour chaque groupe d'aliments pour chaque recette de ce livre.

- Pour chaque recette, nous avons indiqué la quantité des ingrédients en mesures métriques et en mesures impériales. À cause de légères différences entre ces deux systèmes, il est préférable d'en utiliser un seul tout au long d'une recette.

- Les recettes au micro-ondes ont été testées dans un four de 650 watts. Les durées de cuisson sont indiquées pour un four de 650 à 700 watts. Si la puissance de votre appareil est différente, vous devrez peut-être modifier ces durées. Consultez le guide d'utilisation de votre appareil. Si votre four n'est pas muni d'un plateau rotatif, vous devrez tourner les plats une ou deux fois durant la cuisson.

- La valeur nutritive des viandes, volaille, poisson **crus** a été retenue pour le calcul des recettes. Ces aliments subissent des pertes à la cuisson et s'ils sont consommés sous forme de sauce. Tel qu'il a été mentionné précédemment, il est important de dégraisser le liquide de cuisson avant de le consommer.

- Nous trouvons dans les recettes des portions de viande, de volaille ou de poisson de 150 g (5 oz). Ces quantités sont supérieures à celles recommandées dans le guide *Bien manger avec le Guide alimentaire canadien*. La cuisson entraîne une perte de volume estimée à 20 à 25 %, soit environ 30 à 45 g (1 à 1 ½ oz). La recommandation du guide *Bien manger avec le Guide alimentaire canadien* est de 75 g cuit (2 ¼ oz), soit une quantité moyenne acceptable pour répondre aux besoins d'une personne sédentaire. Si vous êtes sédentaire, pourquoi ne pas songer tout simplement à diminuer progressivement la taille de la portion de viande, volaille, poisson, au deuxième repas de votre journée?

Maintenant, il ne vous reste plus qu'à vous régaler. Les chapitres suivants vous fourniront des recettes plus savoureuses les unes que les autres. À vous de jouer!

2E PARTIE
Recettes

107
Entrées

Amuse-gueules au homard

24 PORTIONS

VALEUR NUTRITIVE PAR PORTION		
	Teneur	% VQ
Calories	40	
Lipides	1,5 g	3 %
Saturés	0 g	2 %
+ Trans	0 g	
Polyinsaturés	1 g	
Oméga-6	0,8 g	
Oméga-3 (ALA)	0,1 g	
Oméga-3 (EPA+DHA)	0 g	
Monoinsaturés	0,5 g	
Cholestérol	6 mg	2 %
Sodium	133 mg	6 %
Potassium	43 mg	2 %
Glucides	5 g	2 %
Fibres alimentaires	0,5 g	2 %
Sucres	2 g	
Protéines	2 g	
Vitamine A		2 %
Vitamine C		11 %
Calcium		2 %
Fer		2 %
Vitamine D		1 %
Vitamine E		3 %

ÉCHANGE POUR DIABÉTIQUES
aucun

225 g (7 ½ oz)	de homard ou de crabe en conserve
4	oignons verts hachés
1	gousse d'ail émincée
3 c. à soupe de chacun:	poivrons rouge, vert et jaune
4 c. à soupe (¼ de tasse)	de céleri haché finement
80 ml (⅓ de tasse)	de mayonnaise légère
60 ml (¼ de tasse)	de yogourt nature à 0,1 % M.G.
1 c. à thé (à café)	de jus de citron
1 c. à soupe	d'origan frais haché
	ou
½ c. à thé (à café)	d'origan séché
¼ de c. à thé (à café)	de sel
1	pincée de poivre
2 c. à soupe	de persil haché
12	mini-pitas
	Brins de persil frais pour garnir

- Faire égoutter le homard ou le crabe, et le hacher grossièrement. Ajouter les oignons verts, l'ail, les poivrons et le céleri; bien mélanger.
- Dans un petit bol, mélanger la mayonnaise, le yogourt, le jus de citron et l'origan.
- Combiner les deux mélanges. Saler, poivrer et ajouter le persil.
- Avec des ciseaux de cuisine, enlever une mince bordure autour des mini-pitas, puis les séparer en deux à l'horizontale. Placer les petites croûtes ainsi obtenues sur une tôle à biscuits et les faire sécher au four à 180 °C (350 °F) pendant 10 minutes. Les laisser refroidir et les garnir de salade de homard. Décorer de brins de persil frais. Servir.

Aspic de tomates

8 PORTIONS

1 sachet	de gélatine sans saveur
60 ml (¼ de tasse)	d'eau froide
1 sachet	de poudre pour gelée hypocalorique au citron (ex. Jell-O léger)
250 ml (1 tasse)	de jus de légumes bouillant
300 ml (1 ¼ tasse)	de jus de légumes froid
250 ml (1 tasse)	de céleri haché finement
10	olives farcies rincées à l'eau froide et hachées finement
125 ml (½ tasse)	d'oignons verts hachés finement
	Feuilles de laitue pour servir

- Faire gonfler la gélatine sans saveur dans l'eau froide. Réserver.
- Dissoudre la poudre pour gelée au citron dans le jus de légumes bouillant. Bien remuer. Ajouter le jus de légumes froid en brassant.
- Faire fondre la gélatine gonflée au micro-ondes 20 secondes ou au-dessus d'eau bouillante. L'ajouter à la gelée de légumes. Mélanger et laisser tiédir.
- Ajouter les légumes, verser le tout dans un joli moule bien huilé et refroidi.
- Laisser prendre jusqu'au lendemain.
- Démouler servir sur des feuilles de laitue. On peut également verser la préparation dans des moules individuels.

Canapés aux tomates séchées

12 PORTIONS

8	tranches de pains de blé entier
3 c. à soupe	de tomates séchées hachées
125 ml (¹⁄₂ tasse)	de fromage de yogourt maison (voir recette, p. 116)
1	gousse d'ail hachée finement
1 c. à thé (à café)	d'origan
	Persil pour décorer

- Préchauffer le four à 180 °C (350 °F). Enlever les croûtes du pain et couper chaque tranche en 6 petits canapés. Les placer sur une tôle à biscuits et les faire dorer au four de 12 à 15 minutes. Les laisser refroidir et les ranger dans une boîte à biscuits.
- Hacher les tomates séchées très finement et les ajouter au fromage avec l'ail et l'origan. Bien mélanger, couvrir et réfrigérer. Au moment de servir, répartir la préparation de fromage de yogourt sur chaque canapé. Décorer avec quelques brins de persil. Servir à l'apéritif.

Note La meilleure façon de couper les canapés consiste à les tailler à l'aide de ciseaux de cuisine. On peut faire les deux préparations 24 heures à l'avance et garnir les canapés à la dernière minute.

Coupe de fruits au yogourt

8 PORTIONS

VALEUR NUTRITIVE PAR PORTION		
	Teneur	% VQ
Calories	165	
Lipides	0,5 g	1 %
Saturés	0 g	0 %
+ Trans	0 g	
Polyinsaturés	0,5 g	
Oméga-6	0,2 g	
Oméga-3 (ALA)	0,1 g	
Oméga-3 (EPA+DHA)	0 g	
Monoinsaturés	0 g	
Cholestérol	1 mg	1 %
Sodium	37 mg	2 %
Potassium	626 mg	18 %
Glucides	36 g	12 %
Fibres alimentaires	4,5 g	19 %
Sucres	26 g	
Protéines	4 g	
Vitamine A		13 %
Vitamine C		166 %
Calcium		10 %
Fer		4 %
Vitamine D		2 %
Vitamine E		7 %

ÉCHANGE POUR DIABÉTIQUES

2 ¹/₂ échanges de fruits

2	oranges
1	pamplemousse rose
1	pamplemousse blanc
1	pomme rouge non pelée
2	poires mûres, mais fermes
2	kiwis
250 ml (1 tasse)	de raisin rouge sans pépins
250 ml (1 tasse)	de raisin vert sans pépins
1	melon brodé (cantaloup) coupé en 2 et épépiné
125 ml (¹/₂ tasse)	de jus d'orange
2 c. à soupe	de jus de citron
60 ml (4 c. à soupe)	de crème de cassis ou de Grand Marnier (facultatif)
250 ml (1 tasse)	de yogourt nature à 0,1 % M.G.
2 c. à soupe	d'édulcorant hypocalorique
¹/₂ c. à thé (à café)	de vanille
1 c. à thé (à café)	de zeste très fin d'orange

- Peler à vif les oranges et les pamplemousses au-dessus d'un bol. Retirer les sections de fruits et presser les membranes pour en extraire le jus. Couper la pomme, les poires, peler et trancher les kiwis. Couper les raisins en deux. À l'aide d'une petite cuillère parisienne, prélever la pulpe du melon brodé (cantaloup) de manière à former de petites boules. Mélanger les jus d'orange et de citron et le jus des fruits. Ajouter la crème de cassis ou le Grand Marnier s'il y a lieu. Arroser les fruits de ce sirop. Mélanger délicatement. Réfrigérer.
- Mélanger le yogourt, l'édulcorant et la vanille. Réfrigérer.
- Au moment de servir, placer les fruits dans des coupes individuelles et les napper de sauce yogourt. Garnir de zeste d'orange.

Courgettes aux petits légumes

8 PORTIONS

4	petites courgettes
125 ml (¹/₂ tasse)	d'oignon émincé
1	gousse d'ail émincée
80 ml (¹/₃ de tasse)	de vinaigrette italienne, rosée ou à l'estragon (voir recettes, p. 240, 241, 239)
2 c. à soupe	de jus de citron
	Feuilles de laitue et brins de persil frais pour servir

POUR LA FARCE :

1	tomate rouge
1	branche de céleri hachée finement
3 c. à soupe	de poivron rouge haché finement
1 c. à soupe	d'olives farcies rincées à l'eau froide et hachées
1	échalote française émincée
¹/₂ c. à thé (à café)	de thym séché ou 1 c. à thé (à café) de thym frais
¹/₂ c. à thé (à café)	de paprika
¹/₄ de c. à thé (à café)	de sel
	poivre au goût
1 c. à soupe	de vinaigrette (la même que celle choisie pour les courgettes)

VALEUR NUTRITIVE PAR PORTION

	Teneur	% VQ
Calories	65	
Lipides	3 g	6 %
Saturés	0,5 g	3 %
+ Trans	0 g	
Polyinsaturés	1,5 g	
Oméga-6	1,2 g	
Oméga-3 (ALA)	0,2 g	
Oméga-3 (EPA+DHA)	0 g	
Monoinsaturés	1 g	
Cholestérol	0 mg	0 %
Sodium	227 mg	10 %
Potassium	406 mg	7 %
Glucides	9 g	3 %
Fibres alimentaires	2 g	9 %
Sucres	3 g	
Protéines	2 g	
Vitamine A		4 %
Vitamine C		48 %
Calcium		3 %
Fer		7 %
Vitamine D		0 %
Vitamine E		9 %

ÉCHANGE POUR DIABÉTIQUES

1 échange de légumes

- Laver les courgettes et en couper les extrémités. Les faire cuire dans l'eau bouillante 5 minutes. Elles doivent rester croquantes. Les rafraîchir à l'eau froide. Les égoutter et les couper en deux dans le sens de la longueur.
- À l'aide d'une cuillère, retirer et jeter les graines.
- Placer les courgettes dans un plat avec couvercle.
- Mélanger l'oignon émincé et l'ail. Les répartir dans chaque demi-courgette et arroser de vinaigrette et de jus de citron. Couvrir et laisser mariner au moins 3 heures au réfrigérateur.
- Préparer la farce. Blanchir la tomate quelques secondes. La rafraîchir à l'eau froide et la peler.
- En retirer les graines et le jus et hacher la pulpe. Mélanger avec tous les autres ingrédients de la farce. Arroser avec 1 c. à soupe de vinaigrette et mélanger.
- Retirer et jeter le mélange d'ail et d'oignon des courgettes et égouttez-les.
- Remplir chacune avec la farce.
- Servir comme entrée, sur une feuille de laitue et garnie d'un brin de persil.

Note Ce plat convient également très bien comme élément d'un buffet froid.

Cretons santé

500 g (1 lb)	de porc haché maigre*
250 ml (1 tasse)	de mie de pain de blé entier hachée
1	oignon haché finement
1	gousse d'ail hachée
300 ml (1 1/4 tasse)	de lait écrémé à 1 % M.G.
1/4 c. à thé (à café)	de piment de la Jamaïque
1/2 c. à thé (à café)	de sarriette
3/4 de c. à thé (à café)	de sel
1	pincée de poivre
2 c. à soupe	d'huile de canola

- Mélanger tous les ingrédients dans une casserole à parois épaisses. Couvrir et faire mijoter à feu très doux, en remuant de temps en temps, pendant 1 heure.
- Pour obtenir une texture plus onctueuse, on peut passer les cretons au mélangeur après cuisson.
- Verser dans de jolis ramequins et réfrigérer.

* Le porc haché maigre est un morceau de porc cru que l'on a complètement dégraissé et haché soi-même, car le porc haché du commerce n'est jamais totalement maigre. Couper très finement au couteau le morceau de porc préalablement dégraissé, ou le passer au hache-viande, ou le broyer par petits cubes dans le robot culinaire. Cette dernière méthode demeure la plus facile. Elle s'applique également à toutes les recettes à base de porc haché: pain de viande, boulettes de viande, sauce à spaghetti, etc. C'est un peu plus long à préparer, mais c'est le seul moyen d'éliminer le gras de la viande. Et, de plus, c'est délicieux!

Demi-poires farcies

6 PORTIONS

VALEUR NUTRITIVE PAR PORTION		
	Teneur	% VQ
Calories	70	
Lipides	0,5 g	1 %
Saturés	0,1 g	1 %
+ Trans	0 g	
Polyinsaturés	0,3 g	
Oméga-6	0,1 g	
Oméga-3 (ALA)	0,1 g	
Oméga-3 (EPA+DHA)	0,1 g	
Monoinsaturés	0,1 g	
Cholestérol	20 mg	7 %
Sodium	42 mg	2 %
Potassium	162 mg	5 %
Glucides	12 g	4 %
Fibres alimentaires	1,5 g	6 %
Sucres	10 g	
Protéines	4 g	
Vitamine A		1 %
Vitamine C		4 %
Calcium		5 %
Fer		4 %
Vitamine D		1 %
Vitamine E		2 %

ÉCHANGE POUR DIABÉTIQUES

1 échange de viandes et substituts
1/2 échange de fruits

6	demi-poires en conserve dans leur jus naturel, égouttées ou, si elles sont sucrées, rincées et asséchées
125 ml (1/2 tasse)	de fromage de yogourt maison aromatisé à la ciboulette (voir recette, p. 116)
125 ml (1/2 tasse)	de petites crevettes, ou de goberge à saveur de crabe, ou de crabe haché
60 ml (1/4 de tasse)	de céleri haché finement
	Feuilles de laitue et brins de persil pour servir

- Bien égoutter les poires sur du papier essuie-tout.
- Pendant ce temps, amollir le fromage à la fourchette et y ajouter les crevettes, la goberge ou le crabe, et le céleri.
- Déposer une boule de cette préparation dans chaque cœur de poire.
- Déposer chaque demi-poire farcie sur une feuille de laitue dans une assiette individuelle. Garnir avec un brin de persil.

Fromage de yogourt maison

DONNE 160 ML (2/3 DE TASSE) DE FROMAGE

VALEUR NUTRITIVE PAR PORTION		
	Teneur	**% VQ**
Calories	30	
Lipides	0 g	1 %
Saturés	0 g	1 %
+ Trans	0 g	
Polyinsaturés	0 g	
Oméga-6	0 g	
Oméga-3 (ALA)	0 g	
Oméga-3 (EPA+DHA)	0 g	
Monoinsaturés	0 g	
Cholestérol	1 mg	1 %
Sodium	108 mg	5 %
Potassium	132 mg	4 %
Glucides	4 g	2 %
Fibres alimentaires	0 g	1 %
Sucres	4 g	
Protéines	3 g	
Vitamine A		1 %
Vitamine C		2 %
Calcium		8 %
Fer		1 %
Vitamine D		3 %
Vitamine E		1 %

ÉCHANGE POUR DIABÉTIQUES

1/2 échange de lait

500 ml (2 tasses)	de yogourt nature sans gélatine
1 ml (1/4 c. à thé)	de sel
1 ml (1/4 c. à thé)	de poivre
30 ml (2 c. à table)	de ciboulette hachée finement

- Si vous préparez vous-même du yogourt, omettez la gélatine sans saveur dans votre recette. Si vous utilisez celui du commerce, lisez attentivement la liste des ingrédients et choisissez une marque de yogourt sans gras qui ne contient pas de gélatine.

- Dans une passoire doublée de mousseline et posée sur un grand bol, laisser égoutter le yogourt nature sans gras et sans gélatine pendant 6 à 8 heures ou toute une nuit. Jeter le liquide recueilli et verser dans un petit bol le contenu de la mousseline. Bien mélanger et conserver au réfrigérateur.

- Ce fromage est délicieux sur des biscottes ou une rôtie de pain de blé entier. On peut aussi l'aromatiser avec 1 c. à thé (à café) d'oignon et 1 c. à soupe de poivron rouge haché menu.

Mousse aux deux saumons

6 PORTIONS

VALEUR NUTRITIVE PAR PORTION		
	Teneur	% VQ
Calories	190	
Lipides	7,5 g	12 %
Saturés	3 g	17 %
+ Trans	0 g	
Polyinsaturés	1,5 g	
Oméga-6	0,3 g	
Oméga-3 (ALA)	0,1 g	
Oméga-3 (EPA+DHA)	0,9 g	
Monoinsaturés	2,5 g	
Cholestérol	43 mg	15 %
Sodium	736 mg	31 %
Potassium	333 mg	10 %
Glucides	5 g	2 %
Fibres alimentaires	0,5 g	2 %
Sucres	1 g	
Protéines	25 g	
Vitamine A		8 %
Vitamine C		3 %
Calcium		26 %
Fer		8 %
Vitamine D		127 %
Vitamine E		13 %

ÉCHANGE POUR DIABÉTIQUES

3 1/2 échanges de viandes et substituts

1	sachet de gélatine sans saveur
125 ml (1/2 tasse)	d'eau froide
435 g (15 1/2 oz)	de saumon en conserve, égoutté
125 g (1/4 de lb)	de saumon fumé
250 ml (1 tasse)	de ricotta
1	échalote française hachée finement
2 c. à soupe	d'aneth frais haché
1 c. à soupe	de basilic frais haché
1 c. à soupe	de ciboulette fraîche hachée
2	blancs d'œufs
1/2 c. à thé (à café)	de sel
1/4 c. à thé (à café)	de poivre
	Feuilles de laitue et brins d'aneth frais pour servir

- Faire gonfler la gélatine dans l'eau froide pendant 5 minutes. La faire fondre en la passant au micro-ondes pendant 30 secondes à haute intensité (10) ou en déposant le bol dans un plat d'eau bouillante. Remuer jusqu'à dissolution. Réserver.
- Ôter les arêtes du saumon et, au robot culinaire, hacher finement les deux saumons. Verser dans un grand bol. Ajouter la ricotta, l'échalote, l'aneth, le basilic, la ciboulette et la gélatine fondue. Battre les blancs d'œufs jusqu'à formation de pics fermes. Les incorporer délicatement à la préparation. Saler et poivrer.
- Verser dans 6 petits ramequins vaporisés d'enduit végétal antiadhésif. Réfrigérer pendant quelques heures jusqu'à ce que ce soit bien ferme. Démouler sur une feuille de laitue et garnir d'un brin d'aneth frais.

Mousse de homard en ramequins

10 PORTIONS

VALEUR NUTRITIVE PAR PORTION		
	Teneur	% VQ
Calories	120	
Lipides	4,5 g	8 %
Saturés	1 g	5 %
+ Trans	0 g	
Polyinsaturés	2 g	
Oméga-6	2 g	
Oméga-3 (ALA)	0,2 g	
Oméga-3 (EPA+DHA)	0 g	
Monoinsaturés	1,5 g	
Cholestérol	23 mg	8 %
Sodium	333 mg	14 %
Potassium	257 mg	8 %
Glucides	7 g	3 %
Fibres alimentaires	0,5 g	2 %
Sucres	4 g	
Protéines	13 g	
Vitamine A		3 %
Vitamine C		12 %
Calcium		6 %
Fer		4 %
Vitamine D		1 %
Vitamine E		6 %

ÉCHANGE POUR DIABÉTIQUES

1 échange de viandes et substituts
1/2 échange de gras

2	homards frais de 500 g (1 lb) chacun,
	ou
300 g (10 oz)	de chair de homard
250 ml (1 tasse)	de fromage blanc (cottage) à 1 % M.G.
125 ml (1/2 tasse)	de mayonnaise légère
125 ml (1/2 tasse)	de yogourt nature à 0,1 % M.G.
80 ml (1/3 de tasse)	de sauce chili
2	échalotes françaises hachées finement
5 c. à soupe	de persil haché
2 c. à soupe	de jus de citron
1/8 de c. à thé (à café)	de poivre
2 sachets	de gélatine sans saveur
125 ml (1/2 tasse)	d'eau froide
3	blancs d'œufs
	Craquelins de blé pour servir

- Extraire la chair des deux homards et la hacher finement au couteau. La mélanger dans un grand bol avec le fromage, la mayonnaise, le yogourt, la sauce chili, les échalotes, le persil, le jus de citron et le poivre. Faire gonfler la gélatine dans l'eau froide pendant 3 minutes. La faire fondre au micro-ondes pendant 20 secondes à haute intensité (10) ou au-dessus d'un bol d'eau bouillante. Ajouter la gélatine au premier mélange.
- Battre les blancs d'œufs jusqu'à formation de pics fermes. Les incorporer au homard en les pliant délicatement dans la préparation. Verser dans 10 petits ramequins.
- Réfrigérer jusqu'à ce que ce soit ferme. Servir démoulé, ou en ramequins avec des craquelins de blé.

119
Crèmes, potages et soupes

Bouillon de bœuf maison

7 PORTIONS

(CUISSON AU MICRO-ONDES OU SUR LA CUISINIÈRE)

1	gros os à soupe	
2,5 litres (10 tasses)	d'eau bouillante	
3	carottes coupées en rondelles	
	Quelques demi-branches de céleri avec feuilles	
1	oignon coupé en deux	
1	poireau entier bien lavé et coupé en section de 2,5 cm (1 po)	
	Poivre au goût	
1	feuille de laurier	
1/2 c. à thé (à café)	de sarriette	
1/4 de c. à thé (à café)	de thym	

VALEUR NUTRITIVE PAR PORTION		
	Teneur	% VQ
Calories	25	
Lipides	1 g	1 %
Saturés	0 g	1 %
+ Trans	0 g	
Polyinsaturés	0 g	
Oméga-6	0,1 g	
Oméga-3 (ALA)	0 g	
Oméga-3 (EPA+DHA)	0 g	
Monoinsaturés	0 g	
Cholestérol	0 mg	0 %
Sodium	75 mg	3 %
Potassium	209 mg	6 %
Glucides	3 g	2 %
Fibres alimentaires	0,5 g	0 %
Sucres	1 g	
Protéines	1 g	
Vitamine A		22 %
Vitamine C		9 %
Calcium		3 %
Fer		4 %
Vitamine D		0 %
Vitamine E		3 %

ÉCHANGE POUR DIABÉTIQUES
aucun

Cuisson au micro-ondes:

- Au micro-ondes, les bouillons se préparent beaucoup plus rapidement et sont tout aussi savoureux et nutritifs. Ils sont moins gras et moins salés que ceux du commerce.
- Placer tous les ingrédients dans un récipient à micro-ondes de 5 litres (20 tasses). Couvrir, cuire à haute intensité (10) pendant 15 minutes. Réduire la chaleur à intensité moyenne (7) et continuer à cuire pendant 1 1/2 heure.
- Filtrer le bouillon, refroidir complètement au réfrigérateur et dégraisser, c'est-à-dire enlever et jeter la couche de gras figé à la surface du liquide.

Cuisson sur la cuisinière:

- Dans ce mode de cuisson, il est préférable d'utiliser de l'eau froide. Placer tous les ingrédients dans une marmite. Porter lentement à ébullition et laisser mijoter au moins 3 heures.
- Filtrer le bouillon, le faire refroidir, puis le dégraisser.

Note Ce bouillon se congèle très bien et se conserve pendant 3 mois au congélateur.

Bouillon de poulet maison

ENVIRON 10 PORTIONS

(CUISSON AU MICRO-ONDES OU SUR LA CUISINIÈRE)

VALEUR NUTRITIVE PAR PORTION DE 250 ML (1 TASSE)		
	Teneur	% VQ
Calories	25	
Lipides	1 g	1 %
Saturés	0 g	1 %
+ Trans	0 g	
Polyinsaturés	0 g	
Oméga-6	0,1 g	
Oméga-3 (ALA)	0 g	
Oméga-3 (EPA+DHA)	0 g	
Monoinsaturés	0 g	
Cholestérol	0 mg	0 %
Sodium	75 mg	3 %
Potassium	209 mg	6 %
Glucides	3 g	2 %
Fibres alimentaires	0,5 g	0 %
Sucres	1 g	
Protéines	1 g	
Vitamine A		22 %
Vitamine C		9 %
Calcium		3 %
Fer		4 %
Vitamine D		0 %
Vitamine E		3 %

ÉCHANGE POUR DIABÉTIQUES
aucun

1	carcasse crue ou cuite de volaille (passée sous l'eau froide)
2,5 litres (10 tasses)	d'eau
3	carottes coupées en rondelles
1	oignon coupé en morceaux
	Quelques demi-branches de céleri avec feuilles
	Bouquet garni
	Poivre au goût
1	feuille de laurier
1/2 c. à thé (à café)	d'estragon
1/4 de à thé (à café)	de cerfeuil

Cuisson au micro-ondes:

- Placer tous les ingrédients dans un fait-tout de 5 litres (20 tasses). Couvrir et faire bouillir à haute intensité (10) pendant 45 minutes. Filtrer le bouillon, laisser refroidir complètement au réfrigérateur et dégraisser, c'est-à-dire enlever et jeter la couche de gras qui s'est formée à la surface.

Cuisson sur la cuisinière:

- Remplacer l'eau bouillante de la recette précédente par de l'eau froide. Placer tous les ingrédients dans une grande marmite. Porter lentement à ébullition et laisser mijoter durant 1 heure.
- Filtrer le bouillon, le mettre à refroidir, puis le dégraisser.

Note On peut en congeler une partie dans des bacs à glaçons. Transférer ensuite les glaçons dans un sac de plastique à fermeture hermétique. Certaines recettes, telles les sauces, ne comportent souvent qu'une petite quantité de bouillon. Le bouillon de bœuf ou de poulet se congèle très bien et se conserve durant 3 mois au congélateur.

Crème de courgettes

8 PORTIONS

500 ml (2 tasses)	de pommes de terre coupées en dés
500 ml (2 tasses)	de courgettes coupées en dés, bien lavées, non pelées
1	oignon haché finement
1	poireau haché finement
1,5 litre (6 tasses)	de bouillon de poulet chaud maison (voir recette, p. 121) ou du commerce sans gras ni sel
250 ml (1 tasse)	de lait 1 % M.G.
1/2 c. à thé (à café)	de sel
	Poivre au goût
	Persil haché finement ou yogourt nature pour servir

- Faire cuire les légumes dans un peu d'eau sur feu moyen. Égoutter. Passer au mélangeur. Ajouter au bouillon de poulet chaud. Assaisonner. Ajouter le lait.
- Au moment de servir, parsemer chaque assiette d'un peu de persil haché finement ou servir avec une cuillerée de yogourt nature déposée au milieu du bol à soupe. Délicieux!

Potage d'automne

8 PORTIONS

	VALEUR NUTRITIVE PAR PORTION	
	Teneur	% VQ
Calories	110	
Lipides	3 g	5 %
Saturés	1 g	4 %
+ Trans	0 g	
Polyinsaturés	0,5 g	
Oméga-6	0,2 g	
Oméga-3 (ALA)	0 g	
Oméga-3 (EPA+DHA)	0 g	
Monoinsaturés	1,5 g	
Cholestérol	3 mg	1 %
Sodium	395 mg	17 %
Potassium	666 mg	20 %
Glucides	17 g	6 %
Fibres alimentaires	2 g	9 %
Sucres	3 g	
Protéines	6 g	
Vitamine A		33 %
Vitamine C		25 %
Calcium		13 %
Fer		9 %
Vitamine D		13 %
Vitamine E		11 %

ÉCHANGE POUR DIABÉTIQUES

1/2 échange de pain
1/2 échange de matières grasses
1/2 échange de lait
1/2 échange de légumes

1 c. à soupe	d'huile d'olive
1	oignon haché
125 ml (1/2 tasse)	de céleri haché
1 litre (4 tasses)	de citrouille coupée en cubes
2	pommes de terre coupées en cubes
2	carottes tranchées en rondelles
1 litre (4 tasses)	de bouillon de poulet maison (voir recette, p. 121) ou du commerce sans gras ni sel
500 ml (2 tasses)	de lait 1 % M.G.
1/2 c. à thé (à café)	de grains de coriandre écrasés finement
1/2 c. à thé (à café)	de sauge
1 c. à thé (à café)	de sel
	Poivre au goût
	Brin de persil pour servir

- Chauffer l'huile dans une casserole antiadhésive. Ajouter l'oignon et le céleri. Attendrir cinq minutes sans laisser brunir. Ajouter la citrouille, les pommes de terre, les carottes et le bouillon de poulet. Amener vivement à ébullition. Réduire la chaleur et laisser mijoter 30 minutes ou jusqu'à ce que la citrouille devienne transparente.
- Passer le tout au mélangeur ou au robot culinaire. Remettre dans la casserole. Ajouter le lait, la coriandre et la sauge, le sel et le poivre.
- Éviter de faire bouillir à nouveau. Servir garni d'un petit brin de persil.

Potage au cresson

6 PORTIONS

	Teneur	% VQ
VALEUR NUTRITIVE PAR PORTION		
Calories	115	
Lipides	5 g	8 %
Saturés	1 g	5 %
+ Trans	0 g	
Polyinsaturés	0,5 g	
Oméga-6	0,5 g	
Oméga-3 (ALA)	0,1 g	
Oméga-3 (EPA+DHA)	0 g	
Monoinsaturés	3,5 g	
Cholestérol	2 mg	1 %
Sodium	296 mg	13 %
Potassium	472 mg	14 %
Glucides	13 g	5 %
Fibres alimentaires	1 g	5 %
Sucres	2 g	
Protéines	6 g	
Vitamine A		7 %
Vitamine C		25 %
Calcium		11 %
Fer		9 %
Vitamine D		9 %
Vitamine E		10 %

ÉCHANGE POUR DIABÉTIQUES

1/2 échange de féculents
1 échange de légumes

2 c. à soupe	d'huile d'olive
1	poireau (blanc et vert) tranché
1	oignon haché
250 ml (1 tasse)	de pommes de terre coupées en dés
1 botte	de cresson nettoyé et les tiges enlevées
1,25 litre (5 tasses)	de bouillon de poulet maison (voir recette, p. 121) ou du commerce sans gras ni sel
250 ml (1 tasse)	de lait 1 % M.G.
1/2 c. à thé (à café)	de sel
	Poivre au goût
	Petits croûtons secs pour servir

- Faire chauffer l'huile dans une casserole. Ajouter le poireau et l'oignon. Attendrir 5 minutes à feu moyen. Ajouter les pommes de terre, le cresson et le bouillon de poulet. Laisser mijoter jusqu'à ce que les pommes de terre soient cuites.
- Passer au mélangeur ou au robot. Remettre dans la casserole. Ajouter le lait et les assaisonnements.
- Servir bien chaud garni de petits croûtons secs.

Potage de haricots jaunes

5 PORTIONS

VALEUR NUTRITIVE PAR PORTION		
	Teneur	% VQ
Calories	160	
Lipides	5 g	8 %
Saturés	2 g	10 %
+ Trans	0,1 g	
Polyinsaturés	0,5 g	
Oméga-6	0,4 g	
Oméga-3 (ALA)	0,1 g	
Oméga-3 (EPA+DHA)	0 g	
Monoinsaturés	2,5 g	
Cholestérol	9 mg	3 %
Sodium	372 mg	16 %
Potassium	550 mg	16 %
Glucides	19 g	7 %
Fibres alimentaires	2,5 g	10 %
Sucres	3 g	
Protéines	10 g	
Vitamine A		15 %
Vitamine C		21 %
Calcium		30 %
Fer		6 %
Vitamine D		42 %
Vitamine E		7 %

ÉCHANGE POUR DIABÉTIQUES

1 échange de légumes
1/2 échange de lait
1/2 échange de matières grasses

500 ml (2 tasses)	de haricots jaunes frais
125 ml (1/2 tasse)	de céleri coupé en dés
1	oignon émincé
1 c. à soupe	d'huile d'olive
1 c. à soupe	de farine
1 litre (4 tasses)	de lait 1 % M.G.
1/2 c. à thé (à café)	de sel
	Poivre au goût
1 pincée	de sauge

- Laver, parer et couper les haricots en morceaux de 2,5 cm (1 po). Les faire cuire avec le céleri et l'oignon à l'eau bouillante jusqu'à ce qu'ils soient tendres.
- Égoutter et réserver.
- Faire un roux avec l'huile et la farine. Ajouter le lait écrémé et amener doucement au point d'ébullition sans laisser bouillir. Ajouter les légumes et les assaisonnements.

Note En juillet, quand les haricots jaunes font leur apparition, je m'empresse de préparer ce délicieux potage et ma famille, autant que moi, aime s'en régaler.

Soupe à l'oignon gratinée

6 PORTIONS

1 c. à soupe	d'huile d'olive
500 ml (2 tasses)	d'oignons tranchés en rondelles
1/2 c. à thé (à café)	de moutarde en poudre
1,25 litre (5 tasses)	de bouillon de bœuf (voir recette, p. 120) ou du commerce sans gras ni sel
1/2 c. à thé (à café)	de marjolaine
1/2 c. à thé (à café)	de sel
1 pincée	de poivre
6 tranches	de baguette grillées, de 2 cm (3/4 de po) d'épaisseur
80 ml (1/3 de tasse)	d'emmenthal léger (15 % M.G.)

- Dans une grande casserole antiadhésive, faire chauffer l'huile. Ajouter les oignons et la moutarde. Cuire à feu doux pendant 15 minutes en remuant souvent. Ajouter le bouillon, amener à ébullition. Faire mijoter, partiellement couvert, pendant 15 minutes. Assaisonner.

- Verser dans 6 bols allant au four, couvrir chacun d'une tranche de baguette grillée. Répartir le fromage sur les 6 tranches de pain. Faire gratiner au four. Servir immédiatement.

Soupe à l'orge et aux légumes

8 PORTIONS

VALEUR NUTRITIVE PAR PORTION		
	Teneur	% VQ
Calories	90	
Lipides	0 g	1 %
Saturés	0 g	1 %
+ Trans	0 g	
Polyinsaturés	0 g	
Oméga-6	0,1 g	
Oméga-3 (ALA)	0 g	
Oméga-3 (EPA+DHA)	0 g	
Monoinsaturés	0 g	
Cholestérol	0 mg	0 %
Sodium	537 mg	23 %
Potassium	625 mg	18 %
Glucides	18 g	6 %
Fibres alimentaires	3 g	13 %
Sucres	5 g	
Protéines	6 g	
Vitamine A		12 %
Vitamine C		39 %
Calcium		8 %
Fer		17 %
Vitamine D		0 %
Vitamine E		13 %

ÉCHANGE POUR DIABÉTIQUES

2 échanges de légumes

2 litres (8 tasses)	de bouillon de bœuf maison (voir recette, p. 120) ou du commerce sans gras ni sel
250 ml (1 tasse)	de poireau (blanc et vert) haché
250 ml (1 tasse)	de carottes en dés
250 ml (1 tasse)	de céleri en dés
250 ml (1 tasse)	de panais en dés
125 ml (1/2 tasse)	de navet en dés
60 ml (1/4 de tasse)	d'orge perlée
796 ml (28 oz)	de tomates en conserve en dés
1/4 de c. à thé (à café)	d'origan
1/2 c. à thé (à café)	de romarin
1/4 de c. à thé (à café)	de sarriette
1 c. à thé (à café)	de sel
	Poivre au goût

- Dans une grande casserole, amener le bouillon de bœuf à ébullition. Ajouter les légumes, l'orge et tous les assaisonnements. Faire mijoter pendant 1 heure. Ajouter les tomates et faire cuire encore durant 30 minutes. Servir.

Soupe minute aux tomates fraîches

4 PORTIONS

VALEUR NUTRITIVE PAR PORTION		
	Teneur	% VQ
Calories	105	
Lipides	4 g	7 %
Saturés	0,5 g	3 %
+ Trans	0 g	
Polyinsaturés	0,5 g	
Oméga-6	0,5 g	
Oméga-3 (ALA)	0,1 g	
Oméga-3 (EPA+DHA)	0 g	
Monoinsaturés	2,5 g	
Cholestérol	0 mg	0 %
Sodium	365 mg	16 %
Potassium	624 mg	18 %
Glucides	16 g	6 %
Fibres alimentaires	3 g	13 %
Sucres	3 g	
Protéines	4 g	
Vitamine A		11 %
Vitamine C		104 %
Calcium		5 %
Fer		12 %
Vitamine D		0 %
Vitamine E		14 %

ÉCHANGE POUR DIABÉTIQUES

2 échanges de légumes
1 échange de matières grasses

8	tomates italiennes fraîches
1 c. à soupe	d'huile d'olive
1	oignon haché finement
1	échalote hachée finement
1/2	poivron rouge haché finement
500 ml (2 tasses)	de bouillon de poulet maison (voir recette, p. 121) ou du commerce sans gras ni sel
125 ml (1/2 tasse)	de céleri haché
60 ml (1/4 de tasse)	de persil haché
1 c. à soupe	de basilic frais haché
60 ml (1/4 de tasse)	de ciboulette hachée finement
1/2 c. à thé (à café)	de sel
	Poivre au goût

- Faire blanchir les tomates pendant 2 minutes. Les rafraîchir à l'eau froide. Les peler et les hacher en cubes.
- Dans une grande casserole antiadhésive, faire chauffer l'huile à feu doux. Ajouter l'oignon, l'échalote et le poivron. Cuire pendant 10 minutes sans laisser prendre couleur. Ajouter le bouillon, amener à ébullition, ajouter les tomates, le céleri, le persil, le basilic et la ciboulette. Laisser mijoter pendant 10 minutes. Saler et poivrer. Servir.

Soupe aux pois réconfortante

8 PORTIONS

VALEUR NUTRITIVE PAR PORTION		
	Teneur	% VQ
Calories	260	
Lipides	4 g	7 %
Saturés	0,5 g	3 %
+ Trans	0 g	
Polyinsaturés	1 g	
Oméga-6	0,7 g	
Oméga-3 (ALA)	0,1 g	
Oméga-3 (EPA+DHA)	0 g	
Monoinsaturés	2,5 g	
Cholestérol	0 mg	0 %
Sodium	327 mg	14 %
Potassium	726 mg	21 %
Glucides	42 g	14 %
Fibres alimentaires	5,5 g	22 %
Sucres	7 g	
Protéines	16 g	
Vitamine A		11 %
Vitamine C		7 %
Calcium		6 %
Fer		22 %
Vitamine D		0 %
Vitamine E		7 %

ÉCHANGE POUR DIABÉTIQUES

1 échange de féculents
1 échange de matières grasses
1 échange de légumes

500 g (1 lb)	de pois secs
2 litres (8 tasses)	d'eau chaude
1 c. à thé (à café)	de sel
	Poivre au goût
1	gros oignon haché
180 ml (3/4 de tasse)	de céleri coupé en dés
250 ml (1 tasse)	de carottes coupées en dés
2 c. à soupe	d'huile d'olive
2 c. à thé (à café)	de sarriette

- Bien rincer les pois et les faire tremper toute la nuit. Égoutter. Dans une grande casserole mélanger les pois, l'eau chaude, le sel, le poivre et l'oignon. Laisser mijoter 1 heure.
- Ajouter le céleri, les carottes, l'huile et la sarriette.
- Cuire jusqu'à ce que tous les légumes soient tendres.

Note Quand on l'accompagne d'un morceau de pain de blé entier, cet appétissant potage est suffisamment nutritif pour tenir lieu de repas.

Velouté aux légumes

10 PORTIONS

(CUISSON AU MICRO-ONDES OU SUR LA CUISINIÈRE)

2 c. à soupe	d'huile d'olive
1	oignon haché
5	carottes râpées
4	pommes de terre coupées en cubes
1/2	navet râpé
3	branches de céleri tranchées
1	feuille de laurier
1 c. à thé (à café)	d'herbes de Provence (voir recette, p. 273)
1 pincée	de thym
2 litres (8 tasses)	de bouillon de poulet maison (voir recette p. 121) ou du commerce sans gras ni sel
1 c. à thé (à café)	de sel
	Poivre et paprika au goût
250 ml (1 tasse)	de lait 1 % M.G.
	Persil frais haché ou croûtons pour servir

VALEUR NUTRITIVE PAR PORTION

	Teneur	% VQ
Calories	110	
Lipides	3 g	5 %
Saturés	0,5 g	4 %
+ Trans	0 g	
Polyinsaturés	1 g	
Oméga-6	1 g	
Oméga-3 (ALA)	0 g	
Oméga-3 (EPA+DHA)	0 g	
Monoinsaturés	1,5 g	
Cholestérol	2 mg	1 %
Sodium	358 mg	15 %
Potassium	609 mg	18 %
Glucides	16 g	6 %
Fibres alimentaires	2,5 g	10 %
Sucres	3 g	
Protéines	5 g	
Vitamine A		27 %
Vitamine C		25 %
Calcium		8 %
Fer		9 %
Vitamine D		6 %
Vitamine E		9 %

ÉCHANGE POUR DIABÉTIQUES

1/2 échange de féculents
1 échange de légumes

Cuisson au micro-ondes:

- Faire chauffer l'huile dans un fait-tout de 5 litres (20 tasses). Ajouter l'oignon. Cuire 3 minutes à haute intensité (10). Ajouter le reste des ingrédients, sauf le lait. Cuire à haute intensité (10) 15 minutes et à intensité moyenne (7) 30 minutes. Passer le tout au mélangeur ou au robot culinaire. Ajouter le lait, rectifier l'assaisonnement. Servir garni de persil frais haché ou de quelques croûtons.

Cuisson sur la cuisinière:

- Faire chauffer l'huile dans une casserole antiadhésive. Ajouter l'oignon et le céleri. Attendrir 5 minutes sans laisser brunir. Ajouter le reste des ingrédients, sauf le lait. Amener à ébullition, laisser mijoter 30 minutes. Enlever la feuille de laurier.
- Passer le tout au mélangeur ou au robot culinaire. Remettre dans la casserole. Ajouter le lait, rectifier l'assaisonnement.
- Servir garni de persil ou de croûtons.

Note On peut facilement congeler ce velouté. Employer alors un contenant qui ferme hermétiquement et le remplir aux trois quarts seulement. On n'aura qu'à le décongeler au réfrigérateur ou au micro-ondes.

Soupe rapide au poulet

6 PORTIONS

VALEUR NUTRITIVE PAR PORTION		
	Teneur	% VQ
Calories	95	
Lipides	1 g	2 %
Saturés	0 g	2 %
+ Trans	0 g	
Polyinsaturés	0,5 g	
Oméga-6	0,2 g	
Oméga-3 (ALA)	0 g	
Oméga-3 (EPA+DHA)	0 g	
Monoinsaturés	0,5 g	
Cholestérol	12 mg	4 %
Sodium	300 mg	13 %
Potassium	373 mg	11 %
Glucides	13 g	5 %
Fibres alimentaires	1,5 g	7 %
Sucres	2 g	
Protéines	9 g	
Vitamine A		8 %
Vitamine C		22 %
Calcium		5 %
Fer		12 %
Vitamine D		1 %
Vitamine E		4 %

ÉCHANGE POUR DIABÉTIQUES

1 échange de légumes
1 échange de viandes et substituts

1,25 litre (5 tasses)	de bouillon de poulet maison (voir recette p. 121) ou du commerce sans gras ni sel
375 ml (1 ½ tasse)	de légumes râpés: carottes, navet, tiges de brocoli, etc.
2 branches	de céleri tranchées mince
250 ml (1 tasse)	de poireau (vert et blanc) haché
125 ml (½ tasse)	de petites pâtes alimentaires
160 ml (²/₃ de tasse)	de restes de poulet cuit coupé en cubes
½ c. à thé (à café)	de sel
	Poivre au goût

- Dans une grande casserole, amener à ébullition le bouillon de poulet. Ajouter tous les légumes. Faire bouillir 5 minutes. Ajouter les pâtes et continuer la cuisson 7 à 8 minutes ou jusqu'à ce que celles-ci soient cuites.
- Ajouter le poulet, le sel, le poivre.
- Porter de nouveau à ébullition. Servir.

133
Pâtes alimentaires et riz

Fettuccine aux légumes

4 PORTIONS

250 g (½ lb)	de fettuccine
1 c. à thé (à café)	d'huile d'olive
1	gros oignon haché finement
1	gousse d'ail hachée finement
125 ml (½ tasse)	de céleri haché finement
125 ml (½ tasse)	de poivron rouge haché
125 ml (½ tasse)	de champignons hachés
2 c. à thé (à café)	de jus de citron
½ c. à thé (à café)	de sel
	Poivre au goût
¼ de c. à thé (à café)	d'origan
1 c. à soupe	de persil haché

- Faire cuire les pâtes al dente à l'eau bouillante. Chauffer l'huile à feu moyen dans une poêle antiadhésive. Ajouter l'oignon, l'ail, le céleri, le poivron et les champignons.
- Faire cuire en brassant 5 minutes.
- Arroser de jus de citron et assaisonner.
- Égoutter les pâtes, ajouter le mélange de légumes et parsemer de persil. Servir très chaud.

VALEUR NUTRITIVE PAR PORTION

	Teneur	% VQ
Calories	270	
Lipides	2 g	4 %
Saturés	0,5 g	2 %
+ Trans	0 g	
Polyinsaturés	0,5 g	
Oméga-6	0,5 g	
Oméga-3 (ALA)	0,1 g	
Oméga-3 (EPA+DHA)	0 g	
Monoinsaturés	1 g	
Cholestérol	0 mg	0 %
Sodium	317 mg	14 %
Potassium	280 mg	8 %
Glucides	53 g	18 %
Fibres alimentaires	2,5 g	11 %
Sucres	4 g	
Protéines	9 g	
Vitamine A		4 %
Vitamine C		73 %
Calcium		3 %
Fer		20 %
Vitamine D		4 %
Vitamine E		7 %

ÉCHANGE POUR DIABÉTIQUES

1 échange de féculents
1 échange de légumes

Pilaf aux agrumes

6 PORTIONS

VALEUR NUTRITIVE PAR PORTION		
	Teneur	% VQ
Calories	285	
Lipides	8 g	13 %
Saturés	1 g	5 %
+ Trans	0 g	
Polyinsaturés	1 g	
Oméga-6	1,1 g	
Oméga-3 (ALA)	0,1 g	
Oméga-3 (EPA+DHA)	0 g	
Monoinsaturés	5,5 g	
Cholestérol	0 mg	0 %
Sodium	234 mg	10 %
Potassium	296 mg	9 %
Glucides	47 g	16 %
Fibres alimentaires	1 g	5 %
Sucres	2 g	
Protéines	7 g	
Vitamine A		1 %
Vitamine C		23 %
Calcium		5 %
Fer		10 %
Vitamine D		0 %
Vitamine E		38 %

ÉCHANGE POUR DIABÉTIQUES

2 1/2 échanges de féculents

2 c. à soupe	d'huile d'olive
1	oignon haché finement
1	échalote hachée finement
60 ml (1/4 de tasse)	d'amandes effilées
1 c. à thé (à café)	de zeste d'orange haché
1/2 c. à thé (à café)	de zeste de citron haché
1 c. à thé (à café)	de curry
375 ml (1 1/2 tasse)	de riz à grain long
60 ml (1/4 de tasse)	de jus d'orange frais
60 ml (1/4 de tasse)	de jus de citron frais
625 ml (2 1/2 tasses)	de bouillon de poulet maison (voir recette, p. 121) ou du commerce sans gras ni sel
1/2 c. à thé (à café)	de sel
	Poivre au goût
2 c. à thé (à café)	de persil frais haché

- Dans une casserole, faire chauffer l'huile et y cuire l'oignon et l'échalote jusqu'à tendreté, mais sans laisser prendre couleur. Ajouter les amandes, les zestes d'orange et de citron et le curry. Bien mélanger. Ajouter en remuant le riz, les jus d'orange et de citron et le bouillon de poulet chaud.

- Réduire à feu doux et cuire pendant 20 minutes jusqu'à totale absorption du liquide. Saler, poivrer et parsemer de persil.

Riz au curry

6 PORTIONS

250 ml (1 tasse)	de riz à grain long
500 ml (2 tasses)	d'eau
1/2 c. à thé (à café)	de sel
1 c. à soupe	d'huile d'olive
125 ml (1/2 tasse)	de céleri haché finement
2	oignons verts hachés
1 c. à thé (à café)	de curry
1/2 c. à thé (à café)	de cumin

- Passer le riz à l'eau froide pour enlever le surplus d'amidon. Amener l'eau à ébullition dans une casserole ayant un bon couvercle.
- Ajouter le riz et le sel. Couvrir et faire cuire sur feu doux 15 minutes sans découvrir. Pendant ce temps, dans une poêle antiadhésive, chauffer l'huile et faire blondir le céleri et les oignons verts.
- Mélanger avec le riz, le curry et le cumin.

Note Délicieux avec des brochettes ou tout autre plat à l'agneau.

Riz aux légumes

6 PORTIONS

(CUISSON AU MICRO-ONDES)

250 ml (1 tasse)	de riz à grain long
500 ml (2 tasses)	de bouillon de poulet maison (voir recette p. 121) ou du commerce sans gras ni sel
1/2 c. à thé (à café)	de sel
1 c. à soupe	d'huile d'olive ou d'arachide
125 ml (1/2 tasse)	de champignons hachés finement
4	oignons verts (blanc et vert) hachés
60 ml (1/4 de tasse)	de poivron vert haché
60 ml (1/4 de tasse)	de poivron rouge haché
1	tomate en petits dés
	Persil haché au goût pour garnir

- Passer le riz à l'eau froide pour enlever le surplus d'amidon. Bien égoutter.
- Dans un contenant de 2 litres (8 tasses), chauffer le bouillon de poulet, le sel et l'huile 5 minutes à haute intensité (10) ou jusqu'à ébullition.
- Ajouter le riz, mélanger et couvrir. Cuire 14 à 16 minutes à intensité moyenne (7).
- Laisser reposer 5 minutes.
- Garder couvert pour que le riz reste chaud.
- Pendant la cuisson du riz, faire cuire tous les autres ingrédients, sauf la tomate, 4 minutes à haute intensité (10) avec 2 c. à soupe d'eau dans un contenant de 1 litre (4 tasses). Égoutter et mélanger avec le riz chaud.
- Ajouter la tomate coupée en dés et remuer délicatement.
- Parsemer d'un peu de persil haché. Servir chaud.

Note On peut varier les légumes selon la saison.

VALEUR NUTRITIVE PAR PORTION

	Teneur	% VQ
Calories	155	
Lipides	3 g	5 %
Saturés	0,5 g	2 %
+ Trans	0 g	
Polyinsaturés	0,5 g	
Oméga-6	0,3 g	
Oméga-3 (ALA)	0 g	
Oméga-3 (EPA+DHA)	0 g	
Monoinsaturés	2 g	
Cholestérol	0 mg	0 %
Sodium	254 mg	11 %
Potassium	215 mg	7 %
Glucides	29 g	10 %
Fibres alimentaires	1 g	4 %
Sucres	1 g	
Protéines	4 g	
Vitamine A		3 %
Vitamine C		37 %
Calcium		3 %
Fer		6 %
Vitamine D		3 %
Vitamine E		6 %

ÉCHANGE POUR DIABÉTIQUES

1 1/2 échange de féculents

Riz moulé aux fines herbes

6 PORTIONS

560 ml (2 ¼ tasses)	d'eau
1 c. à soupe	d'huile d'olive
½ c. à thé (à café)	de sel
250 ml (1 tasse)	de riz
125 ml (½ tasse)	de céleri en petits dés
3	oignons verts hachés finement
½ c. à thé (à café)	de basilic frais, haché
½ c. à thé (à café)	de romarin frais, haché
½ c. à thé (à café)	d'origan frais, haché

- Porter à ébullition l'eau, l'huile et le sel. Ajouter le riz et réduire le feu à moyen-doux. Couvrir et laisser mijoter pendant 20 minutes ou jusqu'à complète absorption de l'eau.
- Retirer du feu, ajouter le céleri, les oignons verts et les fines herbes. Bien mélanger.
- Vaporiser d'enduit végétal antiadhésif un moule couronne de 1 litre (4 tasses) et y presser le mélange de riz en le tassant avec le dos d'une cuillère.
- Cette préparation peut être faite la veille et conservée au réfrigérateur. Au moment de servir, démouler le riz sur une grande assiette et réchauffer au micro-ondes à intensité moyenne (7) pendant 12 à 15 minutes.

139
Légumes

Brochettes de légumes

4 BROCHETTES (CUISSON AU BARBECUE)

1	petite courgette coupée en tranches de 2,5 cm (1 po)
8	petits oignons
1	poivron rouge coupé en dés
8	têtes de champignons
8	tomates cerises ou 2 grosses tomates en quartiers

POUR LA MARINADE:

125 ml (¹/₂ tasse)	d'huile d'olive
1 c. à soupe	de jus de citron
2 c. à soupe	de vinaigre de vin blanc
2 c. à thé (à café)	de moutarde de Dijon
1 c. à thé (à café)	de basilic
¹/₂ c. à thé (à café)	de thym
¹/₂ c. à thé (à café)	d'origan
2	gousses d'ail hachées

- Blanchir la courgette, les oignons, le poivron et les champignons 5 minutes.
- Mettre tous les légumes dans un grand saladier.
- Mélanger tous les ingrédients de la marinade et la verser sur les légumes.
- Faire macérer au frais 2 heures.
- Égoutter les légumes et réserver la marinade.
- Monter les brochettes en alternant les différents légumes.
- Les cuire sur le barbecue à environ 15 cm (6 po) de la source de chaleur pendant environ 10 minutes à feu doux en les retournant et en les badigeonnant avec la marinade 2 ou 3 fois pendant la cuisson.

Note La brochette de légumes est parfaite pour accompagner un bifteck ou une côtelette sur le barbecue. Si vous n'utilisez pas la marinade pour la cuisson, vous réduirez de 5 g votre apport en lipides dans votre journée.

VALEUR NUTRITIVE PAR PORTION

	Teneur	% VQ
Calories	110	
Lipides	8 g	12 %
Saturés	1 g	6 %
+ Trans	0 g	
Polyinsaturés	1 g	
Oméga-6	0,8 g	
Oméga-3 (ALA)	0,1 g	
Oméga-3 (EPA+DHA)	0 g	
Monoinsaturés	5,5 g	
Cholestérol	0 mg	0 %
Sodium	20 mg	1 %
Potassium	436 mg	13 %
Glucides	10 g	4 %
Fibres alimentaires	2,5 g	10 %
Sucres	4 g	
Protéines	3 g	
Vitamine A		6 %
Vitamine C		104 %
Calcium		3 %
Fer		7 %
Vitamine D		14 %
Vitamine E		17 %

ÉCHANGE POUR DIABÉTIQUES

1 échange de légumes
1 échange de matières grasses

Carottes glacées à l'orange

4 PORTIONS

750 ml (3 tasses)	de carottes pelées en rondelles
	Jus et zeste d'une orange
160 ml (2/3 de tasse)	de bouillon de poulet maison (voir recette, p. 121) ou du commerce sans gras ni sel
1 c. à soupe	d'huile d'olive
1/4 de c. à thé (à café)	de sel
	Poivre au goût
1 c. à soupe	de persil haché

- Mettre les carottes dans une casserole moyenne. Ajouter le jus et le zeste d'orange, le bouillon de poulet et l'huile. Assaisonner. Cuire à feu doux à découvert pendant 30 minutes.
- Le liquide doit être presque entièrement évaporé. Sinon, augmenter la chaleur quelques minutes. Parsemer de persil.

Casserole d'aubergine

8 PORTIONS

VALEUR NUTRITIVE PAR PORTION		
	Teneur	% VQ
Calories	110	
Lipides	5 g	8 %
Saturés	2 g	10 %
+ Trans	0 g	
Polyinsaturés	1 g	
Oméga-6	0,9 g	
Oméga-3 (ALA)	0,1 g	
Oméga-3 (EPA+DHA)	0 g	
Monoinsaturés	1,5 g	
Cholestérol	9 mg	3 %
Sodium	263 mg	11 %
Potassium	305 mg	9 %
Glucides	12 g	4 %
Fibres alimentaires	2,5 g	10 %
Sucres	3 g	
Protéines	6 g	
Vitamine A		5 %
Vitamine C		44 %
Calcium		11 %
Fer		6 %
Vitamine D		0 %
Vitamine E		7 %

ÉCHANGE POUR DIABÉTIQUES

1 échange de matières grasses
1 échange de viandes et substituts
1 1/2 échange de légumes

1	aubergine, soit environ 500 ml (2 tasses)
1 c. à soupe	d'huile d'olive
2	oignons tranchés
5	tomates pelées et tranchées
1	poivron vert coupé en dés
250 ml (1 tasse)	de mozzarella partiellement écrémée râpée
80 ml (1/3 de tasse)	de chapelure de blé
1/2 c. à thé (à café)	de sel
	Poivre au goût

- Couper l'aubergine en tranches de 1,2 cm (1/2 po) d'épaisseur puis en dés.
- La faire revenir dans l'huile 5 minutes à feu moyen dans une poêle antiadhésive.
- Dans un moule à pain de 2 litres (8 tasses) légèrement huilé, alterner des couches d'aubergine, d'oignons, de tomates, de poivron et environ 180 ml (3/4 de tasse) de fromage. Assaisonner légèrement chaque couche. Mélanger le reste du fromage avec la chapelure et en couvrir le plat.
- Faire cuire 1 heure à 180 °C (350 °F).

Choux de Bruxelles aux noix

4 PORTIONS

VALEUR NUTRITIVE PAR PORTION		
	Teneur	% VQ
Calories	110	
Lipides	4,5 g	8 %
Saturés	0,5 g	3 %
+ Trans	0 g	
Polyinsaturés	2 g	
Oméga-6	1,7 g	
Oméga-3 (ALA)	0,5 g	
Oméga-3 (EPA+DHA)	0 g	
Monoinsaturés	1,5 g	
Cholestérol	0 mg	0 %
Sodium	329 mg	14 %
Potassium	508 mg	15 %
Glucides	12 g	5 %
Fibres alimentaires	5,5 g	22 %
Sucres	3 g	
Protéines	5 g	
Vitamine A		5 %
Vitamine C		181 %
Calcium		6 %
Fer		14 %
Vitamine D		0 %
Vitamine E		14 %

ÉCHANGE POUR DIABÉTIQUES

1 ¹/₂ échange de légumes
¹/₂ échange de matières grasses

500 g (1 lb)	de choux de Bruxelles
125 ml (¹/₂ tasse)	d'eau
1 c. à soupe	de jus de citron
¹/₂ c. à soupe	d'huile d'olive
2 c. à soupe	de noix de Grenoble hachées
¹/₂ c. à thé (à café)	de sel
	Poivre au goût

- Parer les choux de Bruxelles. Enlever les feuilles flétries. Pratiquer une incision en X à la base de chaque chou pour une cuisson uniforme. Les cuire à feu moyen pendant 10 minutes dans l'eau et le jus de citron.
- Dans une petite casserole, faire chauffer l'huile et y faire dorer les noix. Ajouter les choux de Bruxelles bien égouttés. Saler, poivrer et servir.

Crêpes aux asperges

6 CRÊPES

VALEUR NUTRITIVE PAR PORTION

	Teneur	% VQ
Calories	215	
Lipides	8 g	12 %
Saturés	2,5 g	14 %
+ Trans	0,1 g	
Polyinsaturés	1 g	
Oméga-6	0,7 g	
Oméga-3 (ALA)	0,1 g	
Oméga-3 (EPA+DHA)	0 g	
Monoinsaturés	3,5 g	
Cholestérol	42 mg	14 %
Sodium	392 mg	17 %
Potassium	341 mg	10 %
Glucides	25 g	9 %
Fibres alimentaires	2 g	9 %
Sucres	1 g	
Protéines	12 g	
Vitamine A		11 %
Vitamine C		14 %
Calcium		22 %
Fer		14 %
Vitamine D		24 %
Vitamine E		9 %

ÉCHANGE POUR DIABÉTIQUES

1 échange de lait
1/2 échange de féculents
1 échange de légumes
2 échanges de matières grasses

POUR LES CRÊPES:

1 recette	de pâte à crêpes (voir recette, p. 262)

POUR LA GARNITURE:

12	asperges fraîches ou en conserve
1 1/2 c. à soupe	d'huile d'olive
2 c. à soupe	de farine
250 ml (1 tasse)	de lait à 1 % M.G.
125 ml (1/2 tasse)	de fromage suisse léger à 15 % M.G.
1/4 de c. à thé (à café)	de sel
	Poivre au goût
1 pincée	de muscade

- Préparer la pâte à crêpes, puis faire cuire les crêpes. Les garder au chaud dans le four à 70 °C (150 °F).
- Si on utilise des asperges fraîches, les faire cuire dans très peu d'eau jusqu'à ce que les tiges soient tendres.
- Faire chauffer l'huile dans une casserole antiadhésive. Ajouter la farine, mélanger. Ajouter le lait en remuant au fouet. Faire cuire jusqu'à épaississement en agitant sans arrêt. Ajouter le fromage en en réservant 2 c. à soupe, le sel, le poivre et la muscade. Faire mijoter à feu doux pendant 2 minutes en remuant.
- Déposer 2 asperges égouttées sur chaque crêpe et les napper de 2 c. à soupe de sauce. Rouler les crêpes et les glisser dans un plat allant au four. Verser le reste de la sauce sur les crêpes et la saupoudrer du reste de fromage râpé. Passer quelques minutes sous le gril pour faire dorer. Servir accompagné d'une salade verte.

Frites au four santé

2 PORTIONS

VALEUR NUTRITIVE PAR PORTION		
	Teneur	% VQ
Calories	155	
Lipides	7 g	11 %
Saturés	1 g	5 %
+ Trans	0 g	
Polyinsaturés	1 g	
Oméga-6	0,8 g	
Oméga-3 (ALA)	0,1 g	
Oméga-3 (EPA+DHA)	0 g	
Monoinsaturés	5 g	
Cholestérol	0 mg	0 %
Sodium	601 mg	26 %
Potassium	494 mg	15 %
Glucides	20 g	7 %
Fibres alimentaires	2 g	9 %
Sucres	1 g	
Protéines	3 g	
Vitamine A		2 %
Vitamine C		37 %
Calcium		3 %
Fer		10 %
Vitamine D		0 %
Vitamine E		12 %

ÉCHANGE POUR DIABÉTIQUES

1 ½ échange de féculents
1 ½ échange de matières grasses

2	pommes de terre pelées
¼ de c. à thé (à café)	de thym
¼ de c. à thé (à café)	de romarin
¼ de c. à thé (à café)	de basilic
¼ de c. à thé (à café)	de poudre d'ail
½ c. à thé (à café)	de paprika
1 c. à soupe	d'huile d'olive
½ c. à thé (à café)	de sel

- Faire chauffer pendant 5 minutes une plaque de cuisson dans le four préchauffé à 200 °C (400 °F).
- Pendant ce temps, tailler les pommes de terre en bâtonnets et les placer dans un bol. Ajouter le thym, le romarin, le basilic, la poudre d'ail et le paprika. Mélanger le tout. Arroser avec l'huile et mélanger à nouveau.
- Étendre les pommes de terre en une seule couche sur la plaque de cuisson chaude. Cuire à 200 °C (400 °F) pendant 15 minutes. Retourner les bâtonnets et cuire à nouveau pendant 15 minutes.
- Saler et servir aussitôt.

Haricots et champignons à la ciboulette

6 PORTIONS

500 g (1 lb)	de haricots verts frais, coupés en morceaux de 2,5 cm (1 po)
1 c. à soupe	d'huile d'olive
1	oignon tranché et défait en rondelles
2	gousses d'ail émincées
375 ml (1 ½ tasse)	de champignons blancs ou café tranchés
1 c. à soupe	de jus de citron
1 c. à thé (à café)	de marjolaine
¼ de c. à thé (à café)	de sel
	Poivre au goût
2 c. à soupe	de ciboulette hachée

- Faire cuire les haricots à l'eau bouillante jusqu'à ce qu'ils soient tendres mais encore croquants. Égoutter et réserver.
- Dans une grande poêle antiadhésive chauffer l'huile. Y cuire l'oignon et l'ail. Ajouter les champignons et les faire cuire jusqu'à tendreté. Ajouter les haricots et les faire réchauffer quelques minutes en les remuant.
- Ajouter le jus de citron, la marjolaine, le sel et le poivre. Garnir de ciboulette hachée. Servir.

Haricots verts aux herbes de Provence

4 PORTIONS

250 g (1/2 lb)	de haricots verts frais
125 ml (1/2 tasse)	d'oignon espagnol en rondelles
1	gousse d'ail hachée finement
1 c. à soupe	d'huile d'olive
60 ml (1/4 de tasse)	de poivron rouge coupée en petits dés
1/4 de c. à thé (à café)	d'herbes de Provence (voir recette, p. 273)
60 ml (1/4 de tasse)	d'eau
1/4 de c. à thé (à café)	de sel
	Poivre au goût
1 c. à soupe	de ciboulette hachée

- Préparer les haricots en les taillant en fines juliennes. Attendrir l'oignon et l'ail dans l'huile dans une grande poêle antiadhésive pendant 5 minutes. Ajouter les autres ingrédients à l'exception de la ciboulette.
- Laisser mijoter couvert 5 minutes. Ajouter la ciboulette.

VALEUR NUTRITIVE PAR PORTION

	Teneur	% VQ
Calories	50	
Lipides	2,5 g	4 %
Saturés	0,5 g	2 %
+ Trans	0 g	
Polyinsaturés	0,5 g	
Oméga-6	0,3 g	
Oméga-3 (ALA)	0,1 g	
Oméga-3 (EPA+DHA)	0 g	
Monoinsaturés	1,5 g	
Cholestérol	0 mg	0 %
Sodium	83 mg	4 %
Potassium	121 mg	4 %
Glucides	5 g	2 %
Fibres alimentaires	1,5 g	7 %
Sucres	2 g	
Protéines	1 g	
Vitamine A		3 %
Vitamine C		34 %
Calcium		2 %
Fer		4 %
Vitamine D		0 %
Vitamine E		7 %

ÉCHANGE POUR DIABÉTIQUES

1 échange de légumes
1 échange de matières grasses

Julienne de légumes d'hiver

4 PORTIONS

	Teneur	% VQ
VALEUR NUTRITIVE PAR PORTION		
Calories	85	
Lipides	4 g	7 %
Saturés	0,5 g	3 %
+ Trans	0 g	
Polyinsaturés	0,5 g	
Oméga-6	0,6 g	
Oméga-3 (ALA)	0,1 g	
Oméga-3 (EPA+DHA)	0 g	
Monoinsaturés	2,5 g	
Cholestérol	0 mg	0 %
Sodium	190 mg	8 %
Potassium	447 mg	13 %
Glucides	11 g	4 %
Fibres alimentaires	3 g	12 %
Sucres	4 g	
Protéines	2 g	
Vitamine A		26 %
Vitamine C		27 %
Calcium		6 %
Fer		5 %
Vitamine D		0 %
Vitamine E		13 %

ÉCHANGE POUR DIABÉTIQUES

2 échanges de légumes
1/2 échange de matières grasses

1 c. à thé (à café)	d'huile d'olive
2	carottes pelées et coupées en fins bâtonnets
1	panais pelé et coupé en fins bâtonnets
2	gousses d'ail hachées très finement
1	échalote émincée
1 c. à thé (à café)	de graines de pavot
1	courgette coupée en fins bâtonnets
3 branches	de céleri coupées en fins bâtonnets
60 ml (1/4 de tasse)	de bouillon de poulet maison (voir recette, p. 121) ou du commerce sans gras ni sel
1/4 de c. à thé (à café)	de sel
	Poivre au goût

- Dans une grande poêle antiadhésive, faire chauffer l'huile. Ajouter les carottes, le panais, l'ail et l'échalote. Cuire en remuant le tout pendant 3 minutes. Ajouter les graines de pavot, la courgette et le céleri. Cuire à nouveau pendant 3 minutes en remuant.

- Ajouter le bouillon de poulet et assaisonner. Couvrir et cuire pendant 5 minutes. Les légumes doivent être encore croquants. Servir.

Légumes à la chinoise

6 PORTIONS

2 c. à soupe	d'huile d'olive
1	oignon espagnol coupé en gros dés
2	gousses d'ail émincées
1 c. à soupe	de gingembre frais haché finement
250 ml (1 tasse)	de carottes tranchées
250 ml (1 tasse)	de chou-fleur en bouquets
250 ml (1 tasse)	de brocoli en bouquets
250 ml (1 tasse)	de céleri tranché en biseau
1/2	poivron jaune coupé en fins bâtonnets
1/2	poivron vert coupé en fins bâtonnets
160 ml (2/3 de tasse)	de bouillon de poulet maison (voir recette, p. 121) ou du commerce sans gras ni sel
2 c. à soupe	d'eau froide
2 c. à thé (à café)	de fécule de maïs
1 c. à soupe	de sauce soja légère
1/2 c. à thé (à café)	d'huile de sésame
1 c. à soupe	de sauce hoisin

- Dans un wok ou une grande poêle antiadhésive faire chauffer l'huile. Y faire sauter l'oignon, l'ail et le gingembre pendant 2 minutes. Ajouter les carottes, le chou-fleur, le brocoli, le céleri et les deux poivrons. Faire cuire pendant 3 minutes en remuant le tout.

- Ajouter le bouillon de poulet, couvrir et faire cuire à l'étuvée pendant 5 minutes. Dans un petit bol, mélanger l'eau, la fécule de maïs, la sauce soja, l'huile de sésame et la sauce hoisin. Ménager un puits au centre du wok et verser le mélange de fécule de maïs sur la sauce. Remuer jusqu'à épaississement. Bien mélanger le tout pour enrober de sauce les légumes. Servir.

Légumes en papillote

4 PORTIONS

(CUISSON AU BARBECUE)

4	pommes de terre moyennes en cubes
4	carottes moyennes tranchées
2	oignons moyens en rondelles
2	courgettes en rondelles
1	poivron rouge en gros dés
½ c. à thé (à café)	de sel
¼ de c. à thé (à café)	de poivre
1 c. à thé (à café)	de basilic frais haché
1 c. à thé (à café)	de sarriette fraîche hachée
1 c. à soupe	d'huile d'olive

- Répartir tous les légumes sur 2 feuilles de papier d'aluminium vaporisées d'enduit végétal antiadhésif. Y ajouter en parts égales le sel, le poivre, le basilic, la sarriette et l'huile.
- Sceller hermétiquement les feuilles de papier d'aluminium. Placer les papillotes sur la grille du barbecue. Cuire pendant 20 minutes en tournant les papillotes toutes les 5 minutes.

VALEUR NUTRITIVE PAR PORTION

	Teneur	% VQ
Calories	170	
Lipides	4 g	6 %
Saturés	0,5 g	3 %
+ Trans	0 g	
Polyinsaturés	1 g	
Oméga-6	0,5 g	
Oméga-3 (ALA)	0,1 g	
Oméga-3 (EPA+DHA)	0 g	
Monoinsaturés	2,5 g	
Cholestérol	0 mg	0 %
Sodium	361 mg	16 %
Potassium	787 mg	23 %
Glucides	32 g	11 %
Fibres alimentaires	4,5 g	18 %
Sucres	7 g	
Protéines	4 g	
Vitamine A		49 %
Vitamine C		48 %
Calcium		5 %
Fer		10 %
Vitamine D		0 %
Vitamine E		11 %

ÉCHANGE POUR DIABÉTIQUES

2 échanges de légumes
1 ½ échange de féculents
½ échange de matières grasses

Petites pizzas aux légumes

4 PIZZAS

(CUISSON AU BARBECUE)

	Margarine
8 tranches	de pain de blé entier
125 ml (¹/₂ tasse)	de sauce tomate (voir recette, p. 224 ou 225)
¹/₂ c. à thé (à café)	de poudre d'ail
¹/₂ c. à thé (à café)	d'origan
¹/₄	de poivron vert en tranches fines
¹/₄	de poivron rouge en tranches fines
4	gros champignons tranchés
¹/₂	petite courgette tranchée
60 ml (¹/₄ de tasse)	d'oignon rouge en rondelles
125 ml (¹/₂ tasse)	de mozzarella semi-écrémée, râpée

- Tartiner légèrement de margarine un côté des tranches de pain. Sur la face non enduite de 4 tranches, étendre la sauce tomate, assaisonner de poudre d'ail et d'origan. Répartir les légumes et la mozzarella sur ces 4 tranches de pain. Les couvrir avec les autres tranche de pain, couche de margarine à l'extérieur.
- Chauffer le barbecue à puissance moyenne-vive et placer les pizzas sur une plaque à griller installée par-dessus la grille du barbecue. Cuire jusqu'à coloration dorée. Tourner les pizzas et faire dorer sur l'autre face.
- On peut également les faire cuire dans une poêle antiadhésive sur la cuisinière.

Note Petits et grands raffolent de ces pizzas improvisées.

Roulés aux asperges

12 PETITS SANDWICHS

VALEUR NUTRITIVE PAR PORTION		
	Teneur	% VQ
Calories	85	
Lipides	1,5 g	3 %
Saturés	0,5 g	2 %
+ Trans	0 g	
Polyinsaturés	0,5 g	
Oméga-6	0,4 g	
Oméga-3 (ALA)	0,1 g	
Oméga-3 (EPA+DHA)	0 g	
Monoinsaturés	0,5 g	
Cholestérol	1 mg	1 %
Sodium	229 mg	10 %
Potassium	141 mg	5 %
Glucides	15 g	5 %
Fibres alimentaires	2,5 g	10 %
Sucres	7 g	
Protéines	4 g	
Vitamine A		2 %
Vitamine C		8 %
Calcium		4 %
Fer		11 %
Vitamine D		1 %
Vitamine E		2 %

ÉCHANGE POUR DIABÉTIQUES

1 échange de féculents

350 g (12 oz)	de pointes d'asperge en conserve, égouttées
12	tranches de pain de blé entier
125 ml (½ tasse)	de fromage de yogourt maison (voir recette, p. 116)

- Enlever la croûte des tranches de pain. Tartiner chaque tranche de fromage de yogourt.
- Déposer une pointe d'asperge sur chacune des tranches. Les rouler bien serré et les placer dans un plat de service.
- Couvrir d'un linge humide. Réfrigérer. Ne pas conserver ces roulés plus de 5 heures.

Sandwichs aux légumes d'été (bruschettas)

2 PORTIONS

	VALEUR NUTRITIVE PAR PORTION		
		Teneur	% VQ
Calories		175	
Lipides		5,5 g	9 %
	Saturés	2,5 g	14 %
	+ Trans	0 g	
	Polyinsaturés	1 g	
	Oméga-6	0,6 g	
	Oméga-3 (ALA)	0,1 g	
	Oméga-3 (EPA+DHA)	0 g	
	Monoinsaturés	1,5 g	
Cholestérol		13 mg	5 %
Sodium		865 mg	37 %
Potassium		422 mg	13 %
Glucides		22 g	8 %
	Fibres alimentaires	3,5 g	14 %
	Sucres	6 g	
Protéines		10 g	
Vitamine A			9 %
Vitamine C			88 %
Calcium			17 %
Fer			14 %
Vitamine D			0 %
Vitamine E			5 %

ÉCHANGE POUR DIABÉTIQUES

1 échange de légumes
2 échanges de féculents
1/2 échange de viandes et substituts

4 tranches	de baguette de blé entier de 2 cm (3/4 de po) d'épaisseur, coupées en biseau
250 ml (1 tasse)	de tomates fraîches épépinées et coupées en dés
2	gousses d'ail émincées
2	oignons verts émincés
60 ml (1/4 de tasse)	de poivron jaune coupé en dés
80 ml (1/3 de tasse)	d'emmenthal léger à 15 % M.G., râpé
2 c. à soupe	de basilic fais haché finement
1/2 c. à thé (à café)	de sel
	Poivre au goût

- Chauffer le four à 200 °C (400 °F).
- Mélanger tous les ingrédients sauf la baguette. Étendre la préparation sur les tranches de pain et cuire au four pendant 10 à 12 minutes, ou jusqu'à ce que le fromage soit fondu. Servir chaud.

155

Viandes et volailles

Côtelettes d'agneau sur le gril

4 PORTIONS

(CUISSON AU FOUR OU AU BARBECUE)

VALEUR NUTRITIVE PAR PORTION		
	Teneur	**% VQ**
Calories	230	
Lipides	13 g	21 %
Saturés	4,5 g	22 %
+ Trans	0 g	
Polyinsaturés	1 g	
Oméga-6	0,9 g	
Oméga-3 (ALA)	0,2 g	
Oméga-3 (EPA+DHA)	0 g	
Monoinsaturés	6 g	
Cholestérol	83 mg	28 %
Sodium	150 mg	7 %
Potassium	346 mg	10 %
Glucides	1 g	1 %
Fibres alimentaires	0 g	1 %
Sucres	0 g	
Protéines	25 g	
Vitamine A		1 %
Vitamine C		1 %
Calcium		2 %
Fer		16 %
Vitamine D		10 %
Vitamine E		5 %

ÉCHANGE POUR DIABÉTIQUES

3 échanges de viandes et substituts
1/2 échange de matières grasses

8	côtelettes d'agneau 2,5 cm (1 po) d'épaisseur, enlever le plus de gras possible

POUR LA MARINADE:

60 ml (1/4 de tasse)	de vinaigre de framboise
2	échalotes hachées
2	gousses d'ail hachées
60 ml (1/4 de tasse)	de céleri haché
1/4 de c. à thé (à café)	de romarin
1/4 de c. à thé (à café)	de basilic
1/2 c. à thé (à café)	de sel
	Poivre au goût
2 c. à soupe	d'huile d'olive

- Disposer les côtelettes une à côté de l'autre dans un plat peu profond.
- Dans un petit bol, mélanger tous les ingrédients de la marinade. Verser sur les côtelettes. Mariner au réfrigérateur au moins 2 heures. Retourner les côtelettes 2 ou 3 fois dans la marinade.
- Sortir les côtelettes du réfrigérateur 1/2 heure avant la cuisson.
- Chauffer le barbecue à médium-fort ou le gril du four. Placer les côtelettes sur une grille et les faire cuire à une distance de 10 à 15 cm (4 à 6 po) du feu, de 3 1/2 à 4 minutes de chaque côté.
- Pour vérifier le degré de cuisson, faire une petite entaille avec un couteau au centre d'une côtelette. La viande doit être légèrement rosée.
- Servir avec une sauce à la menthe (voir recette, p. 221).

Gigot d'agneau au gingembre et à la menthe

8 PORTIONS

VALEUR NUTRITIVE PAR PORTION

	Teneur	% VQ
Calories	180	
Lipides	6 g	9 %
Saturés	2 g	11 %
+ Trans	0 g	
Polyinsaturés	0,5 g	
Oméga-6	0,4 g	
Oméga-3 (ALA)	0,1 g	
Oméga-3 (EPA+DHA)	0 g	
Monoinsaturés	2,5 g	
Cholestérol	80 mg	27 %
Sodium	319 mg	14 %
Potassium	468 mg	14 %
Glucides	4 g	2 %
Fibres alimentaires	0,5 g	2 %
Sucres	0 g	
Protéines	27 g	
Vitamine A		1 %
Vitamine C		6 %
Calcium		2 %
Fer		19 %
Vitamine D		9 %
Vitamine E		3 %

ÉCHANGE POUR DIABÉTIQUES

3 échanges de viandes et substituts

1	gigot d'agneau frais d'environ 1,5 kg (3 lb)
2	gousses d'ail
1/2 c. à thé (à café)	de sel
	Poivre au goût
310 ml (1 1/4 de tasse)	de bouillon de bœuf maison (voir recette p. 120) ou du commerce sans gras ni sel
250 ml (1 tasse)	de champignons frais tranchés
3	oignons verts hachés
1	branche de céleri hachée
1 c. à thé (à café)	de gingembre frais haché finement
1 c. à soupe	de sauce soja à faible teneur en sodium
1 c. à thé (à café)	de menthe séchée
1/2 c. à thé (à café)	de basilic
2 c. à soupe	de fécule de maïs
60 ml (1/4 de tasse)	d'eau

- Dégraisser complètement le gigot d'agneau. Couper les gousses d'ail en deux et les piquer dans la viande. Placer le gigot dans une rôtissoire peu profonde et faire cuire à découvert 1 1/2 heure à 160 °C (325 °F). Saler et poivrer à mi-cuisson.
- Enlever le gras de la rôtissoire s'il y en a.
- Mélanger le bouillon de bœuf, les champignons, les oignons verts, le céleri, le gingembre, la sauce soja, la menthe et le basilic. Verser sur le gigot. Faire cuire à nouveau 45 minutes en arrosant 2 ou 3 fois.
- Lorsque la viande est cuite, la retirer de la rôtissoire, la conserver au chaud.
- Délayer la fécule de maïs dans l'eau. Ajouter au bouillon et finir de faire cuire sur la cuisinière en remuant jusqu'à épaississement.
- Servir des tranches de gigot nappées de cette sauce.

Tranches d'agneau poêlées

4 PORTIONS

VALEUR NUTRITIVE PAR PORTION		
	Teneur	% VQ
Calories	225	
Lipides	9 g	15 %
Saturés	2,5 g	13 %
+ Trans	0 g	
Polyinsaturés	1 g	
Oméga-6	0,8 g	
Oméga-3 (ALA)	0,1 g	
Oméga-3 (EPA+DHA)	0 g	
Monoinsaturés	5 g	
Cholestérol	80 mg	27 %
Sodium	404 mg	17 %
Potassium	627 mg	18 %
Glucides	7 g	3 %
Fibres alimentaires	1,5 g	6 %
Sucres	3 g	
Protéines	28 g	
Vitamine A		2 %
Vitamine C		9 %
Calcium		4 %
Fer		24 %
Vitamine D		13 %
Vitamine E		13 %

ÉCHANGE POUR DIABÉTIQUES

1/2 échange de légumes
4 échanges de viandes et substituts
1/2 échange de matières grasses

4	tranches de gigot d'agneau de 200 g (7 oz) chacune
1 c. à soupe	d'huile d'olive
1	oignon tranché fin
1	gousse d'ail écrasée
250 ml (1 tasse)	de bouillon de bœuf maison (voir recette, p. 120) ou du commerce sans gras ni sel
2 c. à soupe	de pâte de tomate
1 c. à soupe	de vinaigre balsamique
1 c. à thé (à café)	d'origan
1 c. à soupe	de menthe fraîche finement hachée ou 1 c. à thé/à café de menthe séchée
250 ml (1 tasse)	de champignons frais coupés en quartiers
1/2 c. à thé (à café)	de sel
	Poivre au goût

- Enlever tout le gras des tranches d'agneau. Dans une grande poêle antiadhésive, faire chauffer l'huile. Y faire dorer les tranches d'agneau sur les deux faces. Les retirer de la poêle, réserver.
- Dans la même poêle, faire dorer l'oignon et l'ail. Ajouter le bouillon de bœuf, la pâte de tomate, le vinaigre balsamique, l'origan et la menthe. Ajouter les tranches d'agneau, couvrir et, à feu doux, faire mijoter pendant 1/2 heure.
- Ajouter les champignons et cuire à feu très doux pendant une autre 1/2 heure. Assaisonner, servir.

Bœuf bourguignon

6 PORTIONS

<table>
<tr><th colspan="2">VALEUR NUTRITIVE
PAR PORTION</th></tr>
<tr><td></td><td>Teneur % VQ</td></tr>
<tr><td>Calories</td><td>360</td></tr>
<tr><td>Lipides</td><td>14 g 23 %</td></tr>
<tr><td> Saturés</td><td>4,5 g 24 %</td></tr>
<tr><td> + Trans</td><td>0 g</td></tr>
<tr><td> Polyinsaturés</td><td>1 g</td></tr>
<tr><td>   Oméga-6</td><td>0,8 g</td></tr>
<tr><td>   Oméga-3 (ALA)</td><td>0,1 g</td></tr>
<tr><td>   Oméga-3 (EPA+DHA)</td><td>0 g</td></tr>
<tr><td> Monoinsaturés</td><td>6 g</td></tr>
<tr><td>Cholestérol</td><td>82 mg 28 %</td></tr>
<tr><td>Sodium</td><td>531 mg 23 %</td></tr>
<tr><td>Potassium</td><td>1051 mg 31 %</td></tr>
<tr><td>Glucides</td><td>11 g 4 %</td></tr>
<tr><td> Fibres alimentaires</td><td>1 g 5 %</td></tr>
<tr><td> Sucres</td><td>3 g</td></tr>
<tr><td>Protéines</td><td>39 g</td></tr>
<tr><td>Vitamine A</td><td>14 %</td></tr>
<tr><td>Vitamine C</td><td>12 %</td></tr>
<tr><td>Calcium</td><td>4 %</td></tr>
<tr><td>Fer</td><td>31 %</td></tr>
<tr><td>Vitamine D</td><td>27 %</td></tr>
<tr><td>Vitamine E</td><td>5 %</td></tr>
</table>

ÉCHANGE POUR DIABÉTIQUES

1 échange de légumes
5 échanges de viandes et substituts
1 échange de matières grasses

1 c. à soupe	d'huile d'olive
60 ml ($\frac{1}{4}$ de tasse)	de farine
1 kg (2 lb)	de bœuf très maigre en cubes de 2,5 cm (1 po)
3	oignons verts hachés
2	gousses d'ail émincées
250 ml (1 tasse)	de bouillon de poulet maison (voir recette, p. 121) ou du commerce sans gras ni sel
250 ml (1 tasse)	de vin rouge sec
1 c. à thé (à café)	de sel
$\frac{1}{4}$ de c. à thé (à café)	de poivre
250 ml (1 tasse)	de carottes en rondelles
250 ml (1 tasse)	de petits oignons
250 ml (1 tasse)	de petits champignons frais

- Préchauffer le four à 180 °C (350 °F). Dans une grande poêle antiadhésive, faire chauffer l'huile.
- Fariner les cubes de bœuf et les saisir dans la poêle. Lorsqu'ils sont dorés, les déposer dans une casserole allant au four. Dans la même poêle, faire dorer les oignons verts et l'ail. Les ajouter à la viande. Ajouter le bouillon de poulet et le vin.
- Couvrir la casserole, placer au four et cuire pendant 2 $\frac{1}{2}$ heures. Une heure avant la fin de la cuisson, assaisonner et ajouter les carottes et les petits oignons. Une demi-heure avant la fin, ajouter les champignons.

Bœuf en daube à la provençale

8 PORTIONS

VALEUR NUTRITIVE PAR PORTION		
	Teneur	% VQ
Calories	395	
Lipides	18 g	28 %
Saturés	5,5 g	28 %
+ Trans	0 g	
Polyinsaturés	1 g	
Oméga-6	1,1 g	
Oméga-3 (ALA)	0,1 g	
Oméga-3 (EPA+DHA)	0 g	
Monoinsaturés	8 g	
Cholestérol	92 mg	31 %
Sodium	517 mg	22 %
Potassium	1255 mg	36 %
Glucides	9 g	3 %
Fibres alimentaires	2 g	9 %
Sucres	3 g	
Protéines	44 g	
Vitamine A		15 %
Vitamine C		18 %
Calcium		5 %
Fer		35 %
Vitamine D		27 %
Vitamine E		12 %

ÉCHANGE POUR DIABÉTIQUES

1 échange de légumes
6 échanges de viandes et substituts
1 échange de matières grasses

2 c. à soupe	d'huile d'olive
1,5 kg (3 lb)	de bœuf maigre en cubes de 4 cm (1 ¹/₂ po)
1	oignon en rondelles
2	gousses d'ail hachées
2	carottes en rondelles
500 ml (2 tasses)	de bouillon de bœuf maison (voir recette, p. 120) ou du commerce sans gras ni sel
250 ml (1 tasse)	de vin rouge sec
3 c. à soupe	de pâte de tomate
1	bouquet garni: 2 branches de persil, 1 branche de thym, 1 feuille de laurier
1	oignon entier piqué de 5 clous de girofle
5	grains de poivre
Zeste	de 1 orange
1 c. à thé (à café)	de sel
250 ml (1 tasse)	de champignons coupés en 2
3	tomates blanchies, pelées et coupées en cubes
125 ml (¹/₂ tasse)	de petites olives noires rincées

- Préchauffer le four à 160 °C (325 °F). Dans une grande poêle antiadhésive, faire chauffer l'huile. Y dorer la viande sur toutes ses faces. Réserver.

- Dans la même poêle, faire revenir l'oignon, l'ail et les carottes pendant 5 minutes à feu moyen. Transférer la viande, les oignons, l'ail et les carottes dans une cocotte allant au four. Ajouter le bouillon, le vin et la pâte de tomate. Mettre les grains de poivre dans un petit carré de mousseline et l'attacher. Au milieu de la viande, glisser le bouquet garni, l'oignon piqué de clous de girofle, le poivre et le zeste d'orange. Saler.

- Couvrir et faire cuire au four pendant 3 heures. Une demi-heure avant la fin de la cuisson, ajouter les champignons, les tomates et les olives noires. Terminer la cuisson. Retirer le bouquet garni, le poivre, l'oignon entier et le zeste d'orange.

Brochettes de bœuf mariné

4 BROCHETTES

(CUISSON AU FOUR OU AU BARBECUE)

500 g (1 lb)	de bifteck de surlonge coupé en 20 cubes sans gras
1/2	poivron vert coupé en 8 morceaux
4	champignons
1	oignon coupé en quartiers

POUR LA MARINADE:

125 ml (1/2 tasse)	de vin rouge
60 ml (1/4 de tasse)	d'huile d'olive
1/2 c. à thé (à café)	de sauce Worcestershire
1	gousse d'ail hachée
1 c. à soupe	de ketchup
1/2 c. à thé (à café)	de sel
1 c. à soupe	de vinaigre balsamique
1/2 c. à thé (à café)	de romarin
1/2 c. à thé (à café)	de marjolaine

- Mélanger tous les ingrédients de la marinade et y placer les cubes de bœuf. Faire mariner 2 heures à température ambiante.
- Blanchir les légumes 1 minute. Égoutter les cubes de viande et préparer les brochettes en alternant les légumes et 5 cubes de bœuf par brochette.
- Les faire cuire selon la saison sur le barbecue ou sous le gril du four à 10 cm (4 po) de la source de chaleur 6 à 8 minutes, ou jusqu'à ce que la viande atteigne le degré de cuisson désiré. Tourner les brochettes et les badigeonner de marinade à mi-cuisson. Servir sur un Riz aux légumes (voir recette, p. 137).

Note Les brochettes sont délicieuses servies nappées de Sauce aux champignons (voir recette, p. 220). Pour la servir sur les brochettes, on doit faire cette sauce avec 250 ml (1 tasse) au lieu de 180 ml (3/4 de tasse) de bouillon de bœuf.

VALEUR NUTRITIVE PAR PORTION

	Teneur	% VQ
Calories	285	
Lipides	10 g	16 %
Saturés	3 g	15 %
+ Trans	0 g	
Polyinsaturés	0,5 g	
Oméga-6	0,6 g	
Oméga-3 (ALA)	0 g	
Oméga-3 (EPA+DHA)	0 g	
Monoinsaturés	5 g	
Cholestérol	91 mg	31 %
Sodium	158 mg	7 %
Potassium	691 mg	20 %
Glucides	6 g	3 %
Fibres alimentaires	1 g	5 %
Sucres	3 g	
Protéines	40 g	
Vitamine A		1 %
Vitamine C		33 %
Calcium		4 %
Fer		20 %
Vitamine D		17 %
Vitamine E		11 %

ÉCHANGE POUR DIABÉTIQUES

3 échanges de viandes et substituts
1/2 échange de légumes
1/2 échange de matières grasses

Pain de viande aux olives

6 PORTIONS

VALEUR NUTRITIVE PAR PORTION

	Teneur	% VQ
Calorie	340	
Lipides	16 g	25 %
Saturés	5 g	27 %
+ Trans	0,3 g	
Polyinsaturés	1,5 g	
Oméga-6	1,1 g	
Oméga-3 (ALA)	0,2 g	
Oméga-3 (EPA+DHA)	0,1 g	
Monoinsaturés	9 g	
Cholestérol	100 mg	34 %
Sodium	517 mg	22 %
Potassium	539 mg	16 %
Glucides	17 g	6 %
Fibres alimentaires	3 g	12 %
Sucres	8 g	
Protéines	31 g	
Vitamine A		2 %
Vitamine C		4 %
Calcium		5 %
Fer		28 %
Vitamine D		8 %
Vitamine E		14 %

ÉCHANGE POUR DIABÉTIQUES

1/2 échange de légumes
1/2 échange de féculents
4 échanges de viandes et substituts
1 échange de matières grasses

750 g (1 1/2 lb)	de bœuf haché extra-maigre
750 ml (3 tasses)	de mie de pain de blé entier en cubes
80 ml (1/3 de tasse)	d'olives farcies rincées à l'eau froide et hachées
3/4 de c. à thé (à café)	de sel
1/4 de c. à thé (à café)	de poivre
1	oignon haché finement
1	œuf légèrement battu
125 ml (1/2 tasse)	d'eau chaude
250 ml (1 tasse)	de céleri haché
1/4 de c. à thé (à café)	de paprika
2 c. à soupe	d'huile d'olive
1 pincée	de sarriette

- Préchauffer le four à 180 °C (350 °F).
- Défaire la viande à la fourchette et ajouter tous les autres ingrédients dans l'ordre mentionné ci-dessus. Bien mélanger. Verser dans un moule à pain vaporisé d'enduit végétal antiadhésif. Faire cuire au four pendant 1 heure.

Note Ce pain de viande est très bon lorsqu'il est servi chaud, accompagné de Sauce aux tomates maison (voir recette, p. 225) ou nappé de Sauce aux champignons (voir recette, p. 220). S'il en reste, servez-le froid avec des craquelins.

Pains de viande individuels

6 PORTIONS

VALEUR NUTRITIVE PAR PORTION

	Teneur	% VQ
Calories	215	
Lipides	8 g	13 %
Saturés	3,5 g	18 %
+ Trans	0,2 g	
Polyinsaturés	0,5 g	
Oméga-6	0,3 g	
Oméga-3 (ALA)	0,1 g	
Oméga-3 (EPA+DHA)	0 g	
Monoinsaturés	3,5 g	
Cholestérol	70 mg	24 %
Sodium	330 mg	14 %
Potassium	447 mg	13 %
Glucides	12 g	4 %
Fibres alimentaires	1,5 g	6 %
Sucres	3 g	
Protéines	24 g	
Vitamine A		4 %
Vitamine C		25 %
Calcium		6 %
Fer		15 %
Vitamine D		18 %
Vitamine E		5 %

ÉCHANGE POUR DIABÉTIQUES

¹/₂ échange de féculents
3 échanges de viandes et substituts

2	biscuits de blé filamenté (Shredded wheat) finement émiettés
150 ml (5 oz)	de lait à 1 % M.G.
375 g (³/₄ de lb)	de bœuf haché extra-maigre
250 g (¹/₂ lb)	de veau haché
1	œuf légèrement battu
60 ml (¹/₄ de tasse)	d'oignon haché
60 ml (¹/₄ de tasse)	de céleri et feuilles hachés menu
2 c. à soupe	de poivron rouge en petits dés
1 c. à soupe	de ketchup
2 c. à soupe	de persil haché
¹/₂ c. à thé (à café)	de sel
¹/₂ c. à thé (à café)	d'origan
	Poivre au goût
	Sauce aux champignons (voir recette, p. 220)

- Mettre les miettes de biscuits de blé filamenté (Shredded wheat) dans un bol. Ajouter le lait et laisser reposer 5 minutes. Ajouter la viande, l'œuf, les légumes, le ketchup et les assaisonnements. Bien mélanger le tout.
- Façonner 6 grosses boulettes. Les déposer dans un moule à muffins vaporisé d'enduit végétal antiadhésif.
- Cuire au four à 180 °C (350 °F) pendant 30 minutes ou jusqu'à ce que la viande soit cuite à l'intérieur. Servir avec la sauce aux champignons.

Pot-au-feu

6 PORTIONS

(CUISSON À L'AUTOCUISEUR)

1 c. à soupe	d'huile d'olive
750 g (1 1/2 lb)	de bœuf en cubes, dégraissé
2	oignons hachés
1	feuille de laurier
1 c. à thé (à café)	d'origan
500 ml (2 tasses)	de bouillon de bœuf maison (voir recette, p. 120) ou du commerce sans gras ni sel
2 c. à soupe	de pâte de tomate
1 c. à thé (à café)	de sel
1/4 de c. à thé (à café)	de poivre
3	carottes coupées en tranches épaisses
2	panais coupés en tranches épaisses
1	navet coupé en gros cubes
1/2	chou, ficelé pour l'empêcher de s'effeuiller
	Haricots jaunes et verts mélangés, en portions ficelées

- Dans une poêle antiadhésive, chauffer l'huile. Y faire dorer les cubes de bœuf sur toutes les faces. Retirer la viande de la poêle et la mettre dans l'autocuiseur.
- Dans la même poêle, faire dorer les oignons pendant 3 minutes en remuant. Les ajouter à la viande avec le laurier et l'origan. Mélanger le bouillon de bœuf et la pâte de tomate et verser sur la viande. Fermer l'autocuiseur et faire cuire pendant 20 minutes. Refroidir l'autocuiseur sous un filet d'eau froide.
- Lorsque la pression est tombée, ouvrir l'autocuiseur. Saler et poivrer la viande. Ajouter les légumes. Refermer le couvercle et cuire à nouveau pendant 10 minutes.
- Retirer du feu et laisser la pression tomber d'elle-même.

Rosbif sur la braise

6 PORTIONS

(CUISSON AU BARBECUE)

1,5 kg (3 lb)	de rôti de bœuf

POUR LA MARINADE:

250 ml (1 tasse)	de vin rouge
2 c. à soupe	de sauce soja à faible teneur en sodium
3 c. à soupe	d'huile d'olive
1	feuille de laurier émiettée
1	échalote française hachée finement
2	gousses d'ail émincées
1 c. à soupe	de gingembre frais haché
¹/₂ c. à thé (à café)	de graines de coriandre écrasées
10	grains de poivre écrasés
¹/₂ c. à thé (à café)	de sel
2 c. à soupe	de romarin frais haché finement

- La veille, mélanger tous les ingrédients de la marinade. Si le rôti est bardé, ôter et jeter la barde qui l'entoure. L'attacher solidement avec de la ficelle de boucher.
- Placer le rôti dans un sac de plastique épais. Verser la marinade sur la viande. Vider le sac de son air et le sceller soigneusement. Le déposer dans un grand bol au réfrigérateur pour la nuit.
- Au moment de le faire cuire, retirer le rôti de la marinade. Bien l'égoutter et l'installer sur le tournebroche.
- Déposer une lèchefrite au fond couvert d'eau sur les braises (sous le rôti). Surveiller le niveau de l'eau pendant toute la cuisson du rôti, ce qui empêchera la formation de flammes.
- Fermer le couvercle du barbecue et cuire à chaleur moyenne-forte: 13 minutes par 450 g (1 lb) pour un rôti saignant, 18 minutes pour un rôti médium et 20 minutes pour un rôti bien cuit.
- Ce rôti sera délicieux accompagné des Légumes en papillote (voir recette, p. 150) placés sur la braise 20 minutes avant la fin de la cuisson du rôti. Servir aussitôt.

VALEUR NUTRITIVE PAR PORTION

	Teneur	% VQ
Calories	380	
Lipides	17 g	26 %
Saturés	6,5 g	33 %
+ Trans	0 g	
Polyinsaturés	1,5 g	
Oméga-6	1,1 g	
Oméga-3 (ALA)	0,1 g	
Oméga-3 (EPA+DHA)	0 g	
Monoinsaturés	9 g	
Cholestérol	123 mg	41 %
Sodium	339 mg	15 %
Potassium	1102 mg	32 %
Glucides	2 g	1 %
Fibres alimentaires	0 g	1 %
Sucres	1 g	
Protéines	54 g	
Vitamine A		1 %
Vitamine C		1 %
Calcium		3 %
Fer		33 %
Vitamine D		30 %
Vitamine E		6 %

ÉCHANGE POUR DIABÉTIQUES

6 échanges de viandes et substituts
1 ¹/₂ échange de matières grasses

Côtelettes de porc barbecue

6 PORTIONS

6	belles côtelettes de porc de 2 cm (3/4 de po) d'épaisseur, de 150 g (5 oz) chacune
2 c. à soupe	de farine
1 c. à soupe	d'huile d'olive
1 c. à soupe	de moutarde de Dijon
1	petit oignon haché
1 c. à soupe	de sauce Worcestershire
125 ml (1/2 tasse)	de jus de tomate
60 ml (1/4 de tasse)	d'eau
2 c. à soupe	de ketchup
2 c. à soupe	de vinaigre de vin
1/4 de c. à thé (à café)	de clous de girofle moulus
1/2 c. à thé (à café)	de sel
	Poivre au goût

- Enlever tout le gras visible des côtelettes. Les fariner légèrement. Chauffer l'huile dans un grand poêlon antiadhésif. Y faire brunir les côtelettes sur les deux faces.
- Mélanger tous les autres ingrédients et les verser sur la viande. Réduire la chaleur et faire cuire à feu doux jusqu'à ce que les côtelettes soient tendres, pendant environ 1 heure. Ajouter un peu d'eau, si nécessaire.

Côtelettes de porc hawaïennes

4 PORTIONS

VALEUR NUTRITIVE PAR PORTION		

	Teneur	% VQ
Calories	350	
Lipides	4 g	6 %
Saturés	1 g	6 %
+ Trans	0 g	
Polyinsaturés	0,5 g	
Oméga-6	0,1 g	
Oméga-3 (ALA)	0 g	
Oméga-3 (EPA+DHA)	0 g	
Monoinsaturés	1,5 g	
Cholestérol	83 mg	28 %
Sodium	491 mg	21 %
Potassium	991 mg	29 %
Glucides	39 g	13 %
Fibres alimentaires	1,5 g	7 %
Sucres	9 g	
Protéines	37 g	
Vitamine A		1 %
Vitamine C		67 %
Calcium		6 %
Fer		12 %
Vitamine D		3 %
Vitamine E		5 %

ÉCHANGE POUR DIABÉTIQUES

3 échanges de viandes et substituts
2 échanges de féculents
1/2 échange de fruits

4	côtelettes de porc de 2 cm (3/4 de po) d'épaisseur
60 ml (1/4 de tasse)	d'eau
1/4 de c. à thé (à café)	de sel
250 ml (1 tasse)	de bouillon de poulet maison (voir recette, p. 121) ou du commerce sans gras ni sel
2 c. à soupe	de fécule de maïs
125 ml (1/2 tasse)	de jus d'ananas non sucré
1/2 c. à thé (à café)	de sauce Worcestershire
1 c. à thé (à café)	de sauce soja à faible teneur en sodium
1 c. à soupe	de vinaigre
1/4 de c. à thé (à café)	de moutarde de Dijon
250 ml (1 tasse)	de cubes d'ananas non sucrés
1/2	poivron vert coupé en cubes
2	branches de céleri tranchées
500 ml (2 tasses)	de riz cuit, blanc à long grain ou brun
	Poivre au goût

- Enlever tout le gras visible des côtelettes. Faire dorer les côtelettes dans une poêle antiadhésive sans gras. Ajouter 60 ml (1/4 de tasse) d'eau et le sel. Couvrir et laisser mijoter à feu doux environ 40 minutes.
- Retirer les côtelettes et les garder au chaud. Mélanger le bouillon de poulet et la fécule de maïs. Verser dans la poêle. Ajouter le jus d'ananas, la sauce Worcestershire, la sauce soja, le vinaigre et la moutarde. Laisser mijoter jusqu'à épaississement.
- Remettre les côtelettes dans la sauce, ajouter les cubes d'ananas, le poivron et le céleri. Laisser mijoter encore 5 minutes. Poivrer au goût. Servir sur un lit de riz.

Farce de dinde au bain-marie

12 PORTIONS

500 g (1 lb)	de porc haché maigre
500 ml (2 tasses)	de mie de pain de blé coupée en petits dés
10	olives farcies rincées à l'eau froide et hachées
¹/₈ de c. à thé (à café)	de poivre
1	petit oignon haché finement
80 ml (¹/₃ de tasse)	d'eau chaude
180 ml (³/₄ de tasse)	de céleri haché
¹/₂ c. à thé (à café)	de sel
¹/₄ de c. à thé (à café)	de paprika
1 pincée	de sarriette

- Faire cuire le porc haché dans une poêle antiadhésive et bien égoutter l'excédent de gras.
- Lorsque c'est cuit, mettre dans le haut d'un bain-marie et ajouter le reste des ingrédients de la farce.
- Cuire doucement 1 ¹/₂ à 2 heures. On peut préparer la farce à l'avance et la réchauffer.

Filets de porc aux fruits secs

6 PORTIONS

160 ml (²/₃ de tasse)	d'abricots secs
75 ml (5 c. à soupe)	de raisins secs
2	filets de porc de 375 g (13 oz) chacun
1 c. à soupe	d'huile d'olive
1	oignon espagnol
2	gousses d'ail
2	carottes en cubes
250 ml (1 tasse)	de céleri émincé
250 ml (1 tasse)	de bouillon de poulet maison (voir recette, p. 121) ou du commerce sans gras ni sel
1 c. à soupe	de vinaigre de vin blanc
½ c. à thé (à café)	de chacun : romarin, marjolaine, sel
¼ de c. à thé (à café)	de poivre
1 c. à soupe de fécule	de maïs
2 c. à soupe	d'eau froide

- Couvrir les abricots et les raisins secs d'eau froide et les faire tremper pendant 8 heures ou toute une nuit.
- Trancher les filets, enlever le gras. Faire dorer les tranches dans l'huile. Les déposer dans une casserole allant au four.
- Faire revenir l'oignon, l'ail, les carottes et le céleri pendant 3 minutes à feu moyen. Ajouter le bouillon, le vinaigre, le romarin, la marjolaine, le sel et le poivre. Amener à ébullition. Verser sur les filets. Couvrir et faire cuire au four à 150 °C (300 °F) pendant 1 heure.
- Ajouter les abricots et les raisins secs égouttés. Faire cuire au four pendant 30 minutes.
- Juste avant de servir, épaissir le jus de cuisson avec la fécule délayée dans de l'eau froide. Servir avec du riz.

Filets de porc farcis aux canneberges

6 PORTIONS

VALEUR NUTRITIVE PAR PORTION

	Teneur	% VQ
Calories	280	
Lipides	7 g	11 %
Saturés	2 g	10 %
+ Trans	0 g	
Polyinsaturés	1 g	
Oméga-6	0,7 g	
Oméga-3 (ALA)	0,1 g	
Oméga-3 (EPA+DHA)	0 g	
Monoinsaturés	3,5 g	
Cholestérol	99 mg	33 %
Sodium	343 mg	15 %
Potassium	723 mg	21 %
Glucides	13 g	5 %
Fibres alimentaires	2 g	8 %
Sucres	8 g	
Protéines	42 g	
Vitamine A		1 %
Vitamine C		8 %
Calcium		3 %
Fer		20 %
Vitamine D		4 %
Vitamine E		5 %

ÉCHANGE POUR DIABÉTIQUES

1/2 échange de fruits
5 échanges de viandes et substituts

2	filets de porc de 500 g (1 lb) chacun
1 c. à soupe	d'huile d'olive

POUR LA FARCE :

2 c. à soupe	d'oignon haché finement
2 c. à soupe	de céleri haché finement
1	pomme à cuire pelée et évidée, en cubes
3 c. à soupe	de raisins de Corinthe
125 ml (1/2 tasse)	de canneberges crues hachées
250 ml (1 tasse)	de pain de blé entier en petits cubes
1	blanc d'œuf légèrement battu
1/4 de c. à thé (à café)	de marjolaine
1/4 de c. à thé (à café)	de thym
1/2 c. à thé (à café)	de sel
1/4 de c. à thé (à café)	de poivre

- Chauffer le four à 160 °C (325 °F). Faire chauffer l'huile dans une poêle antiadhésive et y faire attendrir l'oignon et le céleri sans les laisser prendre couleur. Ajouter la pomme, les raisins secs, les canneberges et les cubes de pain. Réchauffer pendant 2 minutes en remuant. Retirer du feu. Ajouter le blanc d'œuf et les assaisonnements, Bien mélanger, réserver.
- Enlever toute trace de gras des filets de porc. Les ouvrir partiellement sur la longueur (comme un livre). Placer la farce sur le côté ouvert d'un filet et le refermer partiellement en «V». Placer le second filet en «Ʌ» inversé par-dessus l'ouverture. Faire un rouleau et le ficeler.
- Vaporiser la poêle antiadhésive d'enduit végétal antiadhésif et faire dorer le roulé de porc sur toutes ses faces.
- Le déposer sur une grille dans une petite rôtissoire. Couvrir et faire cuire au four pendant 1 ½ heure. Trancher le roulé et le servir, nappé de Sauce à l'orange (voir recette, p. 223).

Filets de porc aux pommes

4 PORTIONS

VALEUR NUTRITIVE PAR PORTION		
	Teneur	% VQ
Calories	240	
Lipides	7 g	11 %
Saturés	1,5 g	8 %
+ Trans	0 g	
Polyinsaturés	0,5 g	
Oméga-6	0,6 g	
Oméga-3 (ALA)	0,1 g	
Oméga-3 (EPA+DHA)	0 g	
Monoinsaturés	4 g	
Cholestérol	74 mg	25 %
Sodium	381 mg	16 %
Potassium	602 mg	18 %
Glucides	12 g	5 %
Fibres alimentaires	1 g	4 %
Sucres	6 g	
Protéines	32 g	
Vitamine A		2 %
Vitamine C		13 %
Calcium		2 %
Fer		16 %
Vitamine D		3 %
Vitamine E		6 %

ÉCHANGE POUR DIABÉTIQUES

1/2 échange de fruits
3 1/2 échanges de viandes
et substituts
1/2 échange de matières grasses

1	filet de porc d'environ 500 g (1 lb)
2 c. à soupe	de farine
1 c. à soupe	d'huile d'olive
2	oignons verts hachés finement
250 ml (1 tasse)	de bouillon de bœuf maison (voir recette, p. 120) ou du commerce sans gras ni sel
2	pommes à cuire
1/2 c. à thé (à café)	de sel
	Poivre au goût

- Couper le filet de porc en tranches de 1 cm (1/2 po) d'épaisseur. Les aplatir avec un attendrisseur ou à l'aide du bord d'une soucoupe. Les fariner légèrement.
- Dans une poêle antiadhésive, faire chauffer l'huile et y faire dorer les tranches de filet. Ajouter les oignons verts et la moitié du bouillon de bœuf. Faire mijoter à couvert, à feu doux, pendant 10 minutes. Ajouter le reste du bouillon de bœuf, tourner les tranches de viande et ajouter les pommes pelées et coupées en 8 sections. Faire cuire encore pendant 10 minutes. Assaisonner. Servir les tranches de viande garnies de morceaux de pomme.

Mousse de jambon et tomate

8 PORTIONS

VALEUR NUTRITIVE PAR PORTION		
	Teneur	% VQ
Calories	130	
Lipides	7 g	12 %
Saturés	1,5 g	8 %
+ Trans	0 g	
Polyinsaturés	3,5 g	
Oméga-6	2,9 g	
Oméga-3 (ALA)	0,3 g	
Oméga-3 (EPA+DHA)	0 g	
Monoinsaturés	2 g	
Cholestérol	21 mg	7 %
Sodium	670 mg	28 %
Potassium	274 mg	8 %
Glucides	5 g	2 %
Fibres alimentaires	0,5 g	3 %
Sucres	3 g	
Protéines	10 g	
Vitamine A		1 %
Vitamine C		12 %
Calcium		2 %
Fer		7 %
Vitamine D		2 %
Vitamine E		18 %

ÉCHANGE POUR DIABÉTIQUES

2 échanges de viandes et substituts
1 échange de matières grasses

2 sachets	de gélatine sans saveur
300 ml (1 ¼ tasse)	d'eau
300 ml (1 ¼ tasse)	de sauce tomate (voir recettes, p. 224 ou 225)
125 ml (½ tasse)	de fromage blanc (cottage) faible en gras
2 c. à soupe	de jus de citron
1 c. à soupe	d'oignon haché très finement
125 ml (½ tasse)	de mayonnaise légère
2 c. à thé (à café)	de moutarde de Dijon
500 ml (2 tasses)	de jambon cuit, haché
	Laitue pour servir

- Faire gonfler la gélatine dans 60 ml (¼ de tasse) d'eau. Réserver. Mélanger la sauce tomate et le reste de l'eau, soit 250 ml (1 tasse). Chauffer jusqu'à ébullition. Retirer du feu, ajouter la gélatine et le fromage, bien mélanger. Réfrigérer. Ajouter le jus de citron, l'oignon et la mayonnaise, la moutarde et le jambon. Mélanger le tout.

- Vaporiser d'enduit végétal antiadhésif un moule couronne de 20 cm (8 po) de diamètre. Y verser la préparation de jambon. Réfrigérer jusqu'à ce que ce soit bien ferme. Démouler sur un lit de laitue.

Rôti de porc aux fines herbes

8 PORTIONS

1	rôti de porc désossé de 1,5 kg (3 lb)

POUR LA MARINADE:

2	échalotes françaises coupées en morceaux
3	gousses d'ail
3	oignons verts tranchés
125 ml (½ tasse)	de jus d'orange frais
1 c. à soupe	de sauce soja à faible teneur en sodium
1 c. à soupe	d'huile d'olive
2 c. à thé (à café)	de vinaigre balsamique
1 c. à thé (à café)	de clous de girofle moulus
½ c. à thé (à café)	de romarin
½ c. à thé (à café)	de marjolaine
½ c. à thé (à café)	de sauge
½ c. à thé (à café)	de sel
¼ de c. à thé (à café)	de poivre
¼ de c. à thé (à café)	de curry

- Parer la pièce de viande. Enlever tout le gras visible. Réserver. Passer tous les ingrédients de la marinade au mélangeur.
- Placer le rôti dans un grand sac de plastique épais. Ajouter la marinade. Vider le sac de son air et le fermer soigneusement. Le déposer dans un grand bol et le réfrigérer pendant 6 heures. Le sortir du réfrigérateur 30 minutes avant la cuisson.
- Chauffer le four à 160 °C (325 °F). Déposer le rôti sur une grille dans une rôtissoire. L'arroser de la moitié de la marinade. Couvrir et faire cuire au four de 3 à 3 ½ heures, ou jusqu'à ce que la viande soit bien cuite. L'arroser toutes les heures avec le jus de cuisson; ajouter le reste de la marinade si nécessaire. Trancher et servir.

VALEUR NUTRITIVE PAR PORTION

	Teneur	% VQ
Calories	290	
Lipides	13 g	20 %
Saturés	4,5 g	22 %
+ Trans	0 g	
Polyinsaturés	1,5 g	
Oméga-6	1,2 g	
Oméga-3 (ALA)	0,1 g	
Oméga-3 (EPA+DHA)	0 g	
Monoinsaturés	6,5 g	
Cholestérol	122 mg	41 %
Sodium	382 mg	16 %
Potassium	738 mg	22 %
Glucides	5 g	2 %
Fibres alimentaires	0,5 g	2 %
Sucres	2 g	
Protéines	38 g	
Vitamine A		2 %
Vitamine C		22 %
Calcium		3 %
Fer		20 %
Vitamine D		8 %
Vitamine E		7 %

ÉCHANGE POUR DIABÉTIQUES

5 échanges de viandes et substituts

Côtelettes de veau à la provençale

4 PORTIONS

	Teneur	% VQ
VALEUR NUTRITIVE PAR PORTION		
Calories	270	
Lipides	10 g	16 %
Saturés	2,5 g	14 %
+ Trans	0,1 g	
Polyinsaturés	1,5 g	
Oméga-6	1,1 g	
Oméga-3 (ALA)	0,1 g	
Oméga-3 (EPA+DHA)	0 g	
Monoinsaturés	5,5 g	
Cholestérol	106 mg	36 %
Sodium	588 mg	25 %
Potassium	857 mg	25 %
Glucides	10 g	4 %
Fibres alimentaires	2,5 g	10 %
Sucres	1 g	
Protéines	36 g	
Vitamine A		6 %
Vitamine C		29 %
Calcium		6 %
Fer		24 %
Vitamine D		74 %
Vitamine E		16 %

ÉCHANGE POUR DIABÉTIQUES

3 échanges de viandes et substituts
1 échange de matières grasses
1 échange de légumes

4	tomates bien mûres
1 c. à soupe	d'huile d'olive
1	petit oignon vert haché
1	échalote hachée
2	gousses d'ail hachées
1/4 de c. à thé (à café)	de thym
1 c. à thé (à café)	de sauge
1 petite branche	de céleri avec feuilles
1/2 c. à thé (à café)	de sel
	Poivre au goût
4	belles côtelettes de veau bien dégraissées
12	olives noires dénoyautées et rincées
1 c. à soupe	de persil haché

- Blanchir les tomates à l'eau bouillante quelques secondes. Les refroidir, les peler, les épépiner et les hacher.
- Dans une casserole moyenne, chauffer l'huile. Y faire revenir l'oignon vert, l'échalote française et l'ail. Cuire à feu doux 2 minutes en remuant. Ajouter les tomates, le thym, la sauge et le céleri, le sel et le poivre. Cuire à feu doux sans couvrir 45 à 60 minutes. Remuer de temps en temps.
- Huiler légèrement une poêle de fonte noire avec le fond cannelé (côtelé), y faire dorer les côtelettes à feu vif 2 minutes de chaque côté. Réduire le feu et cuire doucement 6 minutes de chaque côté.
- Retirer la branche de céleri de la sauce tomate. Ajouter les olives noires. Servir les côtelettes nappées de cette sauce.
- Garnir d'un peu de persil haché.

Note On peut remplacer le persil par des câpres.

Cubes de veau au paprika

6 PORTIONS

VALEUR NUTRITIVE PAR PORTION

	Teneur	% VQ
Calories	205	
Lipides	6 g	9 %
Saturés	1,5 g	7 %
+ Trans	0 g	
Polyinsaturés	0,5 g	
Oméga-6	0,6 g	
Oméga-3 (ALA)	0 g	
Oméga-3 (EPA+DHA)	0 g	
Monoinsaturés	2,5 g	
Cholestérol	105 mg	35 %
Sodium	325 mg	14 %
Potassium	636 mg	19 %
Glucides	9 g	3 %
Fibres alimentaires	1,5 g	7 %
Sucres	4 g	
Protéines	27 g	
Vitamine A		15 %
Vitamine C		9 %
Calcium		4 %
Fer		12 %
Vitamine D		53 %
Vitamine E		11 %

ÉCHANGE POUR DIABÉTIQUES

3 échanges de viandes et substituts
1 échange de matières grasses
1 échange de légumes

750 g (1 ½ lb)	d'épaule de veau désossée
1 c. à soupe	d'huile d'olive
2	gros oignons émincés
½ c. à thé (à café)	de sel
	Poivre au goût
¼ de c. à thé (à café)	de romarin
¼ de c. à thé (à café)	d'estragon
2 c. à thé (à café)	de paprika
180 ml (¾ de tasse)	de moitié vin blanc sec moitié bouillon de poulet maison (voir recette, p. 121) ou du commerce sans gras ni sodium
250 ml (1 tasse)	de carottes coupées en dés
250 ml (1 tasse)	de champignons tranchés

- Dégraisser complètement la viande et la couper en cubes de 2,5 cm (1 po).
- Dans une grande poêle antiadhésive, chauffer l'huile et y dorer les oignons. Les retirer de la poêle et réserver.
- Mettre les cubes de veau dans la poêle et les faire dorer légèrement environ 10 minutes.
- Mettre la viande dans une casserole antiadhésive. Ajouter sel, poivre, romarin et estragon. Faire cuire 10 minutes à feu moyen-doux.
- Ajouter les oignons et le paprika, mélanger sur le feu 2 à 3 minutes. Ajouter le vin blanc, le bouillon de poulet et les carottes. Faire cuire à feux doux 30 minutes. Ajouter les champignons et faire cuire à nouveau 15 minutes ou jusqu'à ce que la viande soit tendre.
- Servir chaud.

Galantine de veau

8 PORTIONS

VALEUR NUTRITIVE PAR PORTION		
	Teneur	% VQ
Calories	190	
Lipides	3 g	5 %
Saturés	1 g	5 %
+ Trans	0 g	
Polyinsaturés	0,5 g	
Oméga-6	0,4 g	
Oméga-3 (ALA)	0 g	
Oméga-3 (EPA+DHA)	0 g	
Monoinsaturés	1 g	
Cholestérol	168 mg	56 %
Sodium	494 mg	21 %
Potassium	698 mg	20 %
Glucides	3 g	2 %
Fibres alimentaires	0,5 g	3 %
Sucres	1 g	
Protéines	36 g	
Vitamine A		7 %
Vitamine C		5 %
Calcium		5 %
Fer		27 %
Vitamine D		38 %
Vitamine E		1 %

ÉCHANGE POUR DIABÉTIQUES

3 échanges de viandes et substituts
1/2 échange de légumes

2	jarrets de veau d'environ 1,5 kg (3 lb) au total
1	gros oignon haché
¹/₂ c. à thé (à café)	de romarin
¹/₂ c. à thé (à café)	de basilic
1	feuille de laurier
1 c. à thé (à café)	de sel
1 c. à soupe	de persil haché
¹/₄ de c. à thé (à café)	de grains de poivre
1 branche	de céleri avec feuilles
1	carotte tranchée
	Persil pour décorer

- Placer tous les ingrédients dans une grande casserole avec couvercle. Couvrir d'eau froide. Amener à ébullition. Réduire la chaleur et laisser mijoter à feu doux 2 heures.
- Retirer la viande du bouillon, la désosser. Filtrer le bouillon, le laisser refroidir puis le dégraisser. Hacher le veau finement. Réchauffer le bouillon et y ajouter la viande.
- Verser dans un moule passé à l'eau froide puis huilé. Laisser prendre au réfrigérateur. Démouler et décorer avec des brins de persil.

Osso bucco à la milanaise
4 PORTIONS

1 c. à soupe	d'huile d'olive
4 tranches	de jarret de veau de 225 g (8 oz), de 4 cm (1 1/2 po) d'épaisseur chacune
2	gros oignons en rondelles
2	gousses d'ail
250 ml (1 tasse)	de carottes en rondelles
250 ml (1 tasse)	de céleri tranché
125 ml (1/2 tasse)	de vin blanc sec
180 ml (3/4 de tasse)	de bouillon de poulet maison (voir recette, p. 121) ou du commerce sans gras ni sel
250 ml (1 tasse)	de tomates concassées en conserve, égouttées
1/2 c. à thé (à café)	de sel
1/2 c. à thé (à café)	d'herbes de Provence
	Poivre au goût

- Dans une grande poêle antiadhésive, chauffer l'huile et y faire dorer les tranches de jarret sur les deux faces. Les déposer dans une casserole à couvercle.
- Dans la même poêle, faire cuire les oignons, l'ail, les carottes et le céleri à feu moyen pendant 8 à 10 minutes. Verser sur les tranches de jarret. Ajouter le vin, le bouillon de poulet, les tomates concassées et les assaisonnements. Couvrir et laisser mijoter pendant 1 1/2 heure ou jusqu'à ce que la viande soit bien cuite. Servir sur du riz et napper de sauce.

Rôti de veau à l'orange

6 PORTIONS

1,5 kg (3 lb)	de rôti de veau de grain dans la longe
1 c. à soupe	d'huile d'olive
1 feuille	de laurier
2	oignons hachés
250 ml (1 tasse)	d'un mélange du jus d'une orange et d' eau
	Zeste d'une orange
15	baies de genièvre écrasées
1 c. à thé (à café)	de sel
1/4 de c. à thé (à café)	de poivre

- Enlever tout le gras visible du rôti. Faire chauffer l'huile dans une grande poêle antiadhésive. Y faire dorer la viande sur toutes ses faces. La placer dans une casserole allant au four et ajouter tous les autres ingrédients. Couvrir.
- Faire cuire à 160 °C (325 °F) environ 2 1/2 heures ou jusqu'à ce que la viande soit tendre.

VALEUR NUTRITIVE PAR PORTION

	Teneur	% VQ
Calories	320	
Lipides	6 g	10 %
Saturés	2 g	9 %
+ Trans	0 g	
Polyinsaturés	1 g	
Oméga-6	0,6 g	
Oméga-3 (ALA)	0,1 g	
Oméga-3 (EPA+DHA)	0 g	
Monoinsaturés	3 g	
Cholestérol	193 mg	65 %
Sodium	565 mg	24 %
Potassium	1068 mg	31 %
Glucides	8 g	3 %
Fibres alimentaires	1,5 g	7 %
Sucres	3 g	
Protéines	54 g	
Vitamine A		1 %
Vitamine C		28 %
Calcium		7 %
Fer		26 %
Vitamine D		55 %
Vitamine E		4 %

ÉCHANGE POUR DIABÉTIQUES

1/2 échange de légumes
6 échanges de viandes et substituts
1/2 échange de matières grasses

Veau marengo

6 PORTIONS

VALEUR NUTRITIVE PAR PORTION		
	Teneur	% VQ
Calories	270	
Lipides	7,5 g	12 %
Saturés	2 g	9 %
+ Trans	0 g	
Polyinsaturés	1 g	
Oméga-6	0,8 g	
Oméga-3 (ALA)	0,1 g	
Oméga-3 (EPA+DHA)	0 g	
Monoinsaturés	4 g	
Cholestérol	140 mg	47 %
Sodium	621 mg	26 %
Potassium	944 mg	27 %
Glucides	13 g	5 %
Fibres alimentaires	2,5 g	10 %
Sucres	4 g	
Protéines	37 g	
Vitamine A		4 %
Vitamine C		23 %
Calcium		6 %
Fer		19 %
Vitamine D		71 %
Vitamine E		14 %

ÉCHANGE POUR DIABÉTIQUES

1 échange de légumes
6 échanges de viandes et substituts
1/2 échange de matières grasses

1 c. à soupe	d'huile d'olive
1 kg (2 lb)	de veau bien dégraissé en cubes
4	petits oignons coupés en quartiers
375 ml (1 1/2 tasse)	de champignons frais tranchés
125 ml (1/2 tasse)	de céleri tranché
1 c. à soupe	de farine
125 ml (1/2 tasse)	de bouillon de poulet maison (voir recette, p. 121) ou du commerce sans gras ni sel
3	tomates blanchies, pelées et hachées
2	gousses d'ail hachées
80 ml (1/3 de tasse)	d'olives noires rincées
60 ml (1/4 de tasse)	de vin blanc sec
2 c. à soupe	de pâte de tomate
1 1/2 c. à thé (à café)	de thym frais haché
1	feuille de laurier
1 c. à thé (à café)	de sel
1/4 de c. à thé (à café)	de poivre
2 c. à soupe	de persil frais haché

- Dans une grande poêle antiadhésive, chauffer l'huile et y faire dorer les cubes de veau. Les retirer du poêlon, réserver.
- Dans la même poêle, faire cuire les oignons, les champignons et le céleri, à feu moyen jusqu'à transparence des oignons.
- Ajouter la farine et faire cuire pendant 1 minute en remuant. Ajouter le bouillon de poulet, les tomates, l'ail et les olives. Bien mélanger. Ajouter les cubes de veau. Couvrir et laisser mijoter pendant 20 minutes.
- Ajouter le vin blanc, la pâte de tomate, les assaisonnements. Couvrir et laisser mijoter à feu doux pendant 1 heure. Parsemer de persil et servir sur un lit de riz bien chaud.

Avocats farcis au poulet

4 PORTIONS

VALEUR NUTRITIVE PAR PORTION		
	Teneur	% VQ
Calories	320	
Lipides	24 g	37 %
Saturés	3 g	17 %
+ Trans	0 g	
Polyinsaturés	5 g	
Oméga-6	4,7 g	
Oméga-3 (ALA)	0,4 g	
Oméga-3 (EPA+DHA)	0 g	
Monoinsaturés	14 g	
Cholestérol	38 mg	13 %
Sodium	219 mg	10 %
Potassium	768 mg	22 %
Glucides	13 g	5 %
Fibres alimentaires	8 g	32 %
Sucres	2 g	
Protéines	18 g	
Vitamine A		4 %
Vitamine C		62 %
Calcium		4 %
Fer		9 %
Vitamine D		1 %
Vitamine E		29 %

ÉCHANGE POUR DIABÉTIQUES

$1/2$ échange de légumes
1 échange de viandes et substituts
4 échanges de matières grasses

1	petite poitrine de poulet cuite sans peau
1	branche de céleri hachée
2	oignons verts hachés
$1/4$	de poivron rouge en petits cubes
12	pacanes hachées finement
2 c. à soupe	de mayonnaise légère
2 c. à soupe	de yogourt nature à 0,1 % M.G.
$1/4$ de c. à thé (à café)	de sel
	Poivre au goût
$1/4$ de c. à thé (à café)	de romarin
2	avocats bien mûrs
2 c. à soupe	de jus de citron

- Couper la poitrine de poulet en dés. Ajouter le céleri, les oignons verts, le poivron et les pacanes. Réserver.
- Mélanger la mayonnaise, le yogourt, le sel, le poivre et le romarin. Réserver.
- Couper les 2 avocats en deux, retirer le noyau. Retirer la pulpe sans briser la pelure. Couper la pulpe en dés et l'asperger du jus de citron.
- Mélanger la préparation de poulet et la mayonnaise. Y ajouter délicatement les cubes d'avocat. Dans chaque demi-pelure d'avocat empiler le mélange de poulet et d'avocat et servir sans tarder.

Note Comme l'avocat s'oxyde et noircit au contact de l'air, on peut l'arroser de jus de citron ou de vinaigre.

Brochettes de dinde

4 PORTIONS

(CUISSON AU FOUR, AU MICRO-ONDES OU AU BARBECUE)

VALEUR NUTRITIVE PAR PORTION		
	Teneur	% VQ
Calories	235	
Lipides	4 g	7 %
Saturés	0,5 g	4 %
+ Trans	0 g	
Polyinsaturés	0,5 g	
Oméga-6	0,5 g	
Oméga-3 (ALA)	0,1 g	
Oméga-3 (EPA+DHA)	0 g	
Monoinsaturés	2,5 g	
Cholestérol	61 mg	21 %
Sodium	128 mg	6 %
Potassium	585 mg	17 %
Glucides	23 g	8 %
Fibres alimentaires	1 g	5 %
Sucres	20 g	
Protéines	25 g	
Vitamine A		3 %
Vitamine C		142 %
Calcium		4 %
Fer		13 %
Vitamine D		9 %
Vitamine E		9 %

ÉCHANGE POUR DIABÉTIQUES

1 échange de légumes
3 échanges de viandes et substituts
1/2 échange de matières grasses

1/2	petite poitrine de dinde désossée et coupée en morceaux de 4 cm (1 1/2 po)
	Poivron rouge et vert, oignons, champignons et gros morceaux d'ananas frais ou en conserve sans sucre, au goût

POUR LA MARINADE:

250 ml (1 tasse)	de jus de pomme sans sucre
125 ml (1/2 tasse)	de jus d'ananas sans sucre
2	gousses d'ail hachées
2 c. à soupe	de sauce soja légère
60 ml (1/4 de tasse)	d'huile d'olive

POUR LA SAUCE:

375 ml (1 1/2 tasse)	de jus d'ananas sans sucre
2 c. à thé (à café)	de fécule de maïs

- Mélanger les ingrédients de la marinade. Y mettre les cubes de dinde et laisser mariner au moins 2 heures à température ambiante.
- Préparer les légumes et les couper en portions individuelles, puis les blanchir à l'eau bouillante 1 minute.
- Égoutter les cubes de dinde et les enfiler sur des brochettes en alternant avec les légumes et l'ananas.

On peut les cuire de 3 façons:
- Dans un four préchauffé à 200 °C (400 °F) 25 minutes en les retournant à mi-cuisson.
- Au micro-ondes: placer 4 brochettes (en bambou) sur la grille à bacon. Cuire à intensité moyenne (7) de 13 à 15 minutes en les retournant et en les changeant de place à mi-cuisson. Temps de repos 5 minutes.
- Au barbecue: sur un feu moyen-doux, déposer les brochettes sur une grille à 10 cm (4 po) de la source de chaleur. Cuire environ 10 minutes par côté (20 minutes en tout).
- Servir sur un lit de riz blanc à la ciboulette ou à l'oignon vert. Arroser les brochettes et le riz avec la sauce suivante: faire chauffer le jus d'ananas et l'épaissir au goût avec un peu de fécule de maïs. S'il reste des morceaux d'ananas, on peut les hacher finement et les ajouter à la sauce. Servir avec une salade verte.

Notes C'est un plat qui se sert aussi bien pour recevoir des amis à la maison l'hiver que l'été sur le patio.
On peut si on le désire remplacer la dinde par des blancs de poulet.

Escalopes de dinde au romarin

4 PORTIONS

4	grandes escalopes de dinde
1/4 de c. à thé (à café)	de sel
	Poivre au goût
1/4 de c. à thé (à café)	de poudre d'ail
80 ml (1/3 de tasse)	de farine
2 c. à thé (à café)	d'huile d'olive
250 ml (1 tasse)	de sauce tomate maison (voir recette, p. 224 ou 225)
60 ml (1/4 de tasse)	de vin blanc sec
1/2 c. à thé (à café)	de romarin séché ou 1 c. à soupe de romarin frais haché
2 c. à soupe	de parmesan frais râpé (non en poudre)
1 c. à soupe	de persil frais haché

- Placer les escalopes entre deux feuilles de papier ciré et, à l'aide d'un maillet, les battre jusqu'à ce qu'elles aient 0,5 cm (1/4 de po) d'épaisseur, les assaisonner de sel, de poivre et de poudre d'ail. Les saupoudrer de farine. Secouer pour enlever l'excédent.
- Dans une grande poêle antiadhésive, chauffer l'huile à feu moyen et y faire cuire les escalopes environ 4 minutes de chaque côté, ou jusqu'à ce qu'elles soient dorées et cuites à point. Les retirer de la poêle et les garder au chaud.
- À feu moyen, verser dans le poêlon la sauce tomate, le vin et le romarin. Cuire en brassant jusqu'à ce que la sauce soit réduite de moitié.
- Retirer du feu. Verser sur les escalopes, saupoudrer de parmesan et passer 2 minutes sous le gril.
- Parsemer de persil et servir immédiatement.

Poitrines de poulet barbecue

4 PORTIONS

(CUISSON AU BARBECUE)

4	demi-poitrines de poulet sans peau, dégraissées, de 200 g (7 oz) chacune

POUR LA MARINADE:

60 ml (¼ de tasse)	d'huile d'olive
	Le jus de 2 limes
	Le zeste de 1 lime
2 c. à soupe	de sauce soja à faible teneur en sodium
1 c. à soupe	d'huile de sésame
2 gousses	d'ail hachées finement
1 c. à thé (à café)	de romarin frais haché ou ½ c. à thé (à café) de romarin séché
½ c. à thé (à café)	de sel
¼ de c. à thé (à café)	de poivre
1 c. à soupe	de graines de sésame

- Mélanger tous les ingrédients de la marinade. Placer les morceaux de poulet dans un plat, y verser la marinade. Couvrir et réfrigérer pendant au moins 3 heures ou, mieux, jusqu'à 8 heures. Retourner les morceaux de poulet de temps à autre.
- Sur le barbecue réglé à chaleur moyenne, cuire les poitrines de 40 à 45 minutes. Les retourner et les badigeonner de temps à autre. Servir avec la Sauce aigre-douce (voir recette, page 217).

Note Déposer une lèchefrite au fond couvert d'eau à même les braises (sous le poulet). Conserver 2,5 cm (1 po) d'eau dans la lèchefrite pendant toute la cuisson. Cela empêche la formation de flammes.

VALEUR NUTRITIVE PAR PORTION

	Teneur	% VQ
Calories	300	
Lipides	12 g	19 %
Saturés	2 g	11 %
+ Trans	0 g	
Polyinsaturés	2,5 g	
Oméga-6	2,1 g	
Oméga-3 (ALA)	0,1 g	
Oméga-3 (EPA+DHA)	0 g	
Monoinsaturés	7 g	
Cholestérol	116 mg	39 %
Sodium	561 mg	24 %
Potassium	595 mg	17 %
Glucides	2 g	1 %
Fibres alimentaires	0 g	1 %
Sucres	1 g	
Protéines	46 g	
Vitamine A		2 %
Vitamine C		7 %
Calcium		3 %
Fer		9 %
Vitamine D		12 %
Vitamine E		13 %

ÉCHANGE POUR DIABÉTIQUES

3 ½ échanges de viandes et substituts
1 échange de matières grasses

Poitrines de poulet cachottières

4 PORTIONS

VALEUR NUTRITIVE PAR PORTION		
	Teneur	**% VQ**
Calories	375	
Lipides	13 g	21 %
Saturés	2,5 g	13 %
+ Trans	0 g	
Polyinsaturés	2,5 g	
Oméga-6	1,9 g	
Oméga-3 (ALA)	0,2 g	
Oméga-3 (EPA+DHA)	0 g	
Monoinsaturés	8 g	
Cholestérol	116 mg	39 %
Sodium	473 mg	20 %
Potassium	870 mg	25 %
Glucides	14 g	5 %
Fibres alimentaires	2 g	9 %
Sucres	3 g	
Protéines	50 g	
Vitamine A		4 %
Vitamine C		16 %
Calcium		4 %
Fer		17 %
Vitamine D		20 %
Vitamine E		19 %

ÉCHANGE POUR DIABÉTIQUES

½ échange de légumes
4 échanges de viandes et substituts
2 échanges de matières grasses

4	demi-poitrines de poulet sans peau, désossées, de 200 g (7 oz) chacune
2 c. à soupe	d'huile d'olive
1	échalote française hachée
2	oignons verts hachés
250 ml (1 tasse)	de champignons émincés
60 ml (¼ de tasse)	de chapelure
3 c. à soupe	de germe de blé
1 c. à soupe	de basilic frais haché
60 ml (¼ de tasse)	de noisettes hachées
½ c. à thé (à café)	de sel
1 pincée	de poivre
80 ml (⅓ de tasse)	de bouillon de poulet maison (voir recette, p. 121) ou du commerce sans gras ni sel
1 c. à soupe	de sauce chili
125 ml (½ tasse)	de vin blanc sec

- Enlever le gras visible des poitrines. Les placer entre deux feuilles de papier ciré. Aplatir la viande jusqu'à ce qu'elle ait 1 cm (½ po) d'épaisseur.
- Dans une poêle antiadhésive, faire chauffer 1 c. à soupe d'huile d'olive. Ajouter échalote, oignons verts et champignons. Laisser attendrir pendant 3 minutes. Retirer du feu. Ajouter la chapelure, le germe de blé, le basilic, les noisettes, le sel et le poivre. Lier avec le bouillon et la sauce chili.
- Déposer un quart du mélange sur chaque demi-poitrine. Faire des rouleaux et les refermer avec des cure-dents.
- Dans une poêle antiadhésive, faire chauffer l'autre cuillerée d'huile d'olive. Y déposer les rouleaux et les faire dorer. Ajouter le vin blanc. Baisser la chaleur à moyen-doux. Couvrir et faire cuire 40 minutes. Tourner les rouleaux 2 ou 3 fois. Si nécessaire, ajouter du bouillon. Ôter les cure-dents et couper chaque rouleau en 3 ou 4 tranches. Servir avec le Riz moulé aux fines herbes (voir recette, p. 138).

Poulet chasseur

6 PORTIONS

VALEUR NUTRITIVE PAR PORTION		
	Teneur	% VQ
Calories	300	
Lipides	6 g	10 %
Saturés	1 g	7 %
+ Trans	0 g	
Polyinsaturés	1 g	
Oméga-6	0,8 g	
Oméga-3 (ALA)	0,1 g	
Oméga-3 (EPA+DHA)	0 g	
Monoinsaturés	2,5 g	
Cholestérol	116 mg	39 %
Sodium	538 mg	23 %
Potassium	1016 mg	30 %
Glucides	13 g	5 %
Fibres alimentaires	2,5 g	11 %
Sucres	7 g	
Protéines	47 g	
Vitamine A		16 %
Vitamine C		37 %
Calcium		6 %
Fer		13 %
Vitamine D		17 %
Vitamine E		18 %

ÉCHANGE POUR DIABÉTIQUES

1 1/2 échange de légumes
3 1/2 échanges de viandes
et substituts
1/2 échange de matières grasses

1 c. à soupe	d'huile d'olive
6	demi-poitrines de poulet sans peau, désossées, de 200 g (7 oz) chacune
1	gros oignon haché
250 ml (1 tasse)	de carottes en rondelles
2 branches	de céleri tranchées
1 gousse	d'ail hachée
1 c. à thé (à café)	de basilic séché
1 c. à thé (à café)	de romarin séché
540 ml (19 oz)	de tomates concassées en conserve
125 ml (1/2 tasse)	de vin blanc sec
250 ml (1 tasse)	de champignons tranchés
1/2 c. à thé (à café)	de sel
1 pincée	de poivre
2 c. à soupe	de persil frais haché

- Préchauffer le four à 160 °C (325 °F). Faire chauffer l'huile dans une poêle antiadhésive. Faire dorer les poitrines de poulet sur les deux faces. Réserver.
- Dans la même poêle, faire sauter l'oignon, les carottes, le céleri et l'ail. Saupoudrer de basilic et de romarin. Remuer.
- Égoutter les tomates, réserver le jus. Ajouter les tomates au mélange de légumes et faire cuire, à découvert, pendant 8 minutes à feu moyen. Ajouter le vin et le jus des tomates, laisser bouillir encore 10 minutes.
- Verser dans une cocotte et placer les poitrines de poulet sur le mélange de légumes. Assaisonner, couvrir et faire cuire au four pendant 1/2 heure. Ajouter les champignons et faire cuire encore 30 minutes. Dresser les morceaux de poulet sur un plat de service. Garder au chaud.
- Mettre la sauce et les légumes sur feu vif et faire réduire la sauce pendant 5 à 8 minutes. Ajouter le persil. Verser la sauce sur les poitrines et servir.

Poulet croustillant aux aromates

6 PORTIONS

VALEUR NUTRITIVE PAR PORTION		
	Teneur	% VQ
Calories	220	
Lipides	3,5 g	6 %
Saturés	1 g	5 %
+ Trans	0 g	
Polyinsaturés	1 g	
Oméga-6	0,9 g	
Oméga-3 (ALA)	0,1 g	
Oméga-3 (EPA+DHA)	0 g	
Monoinsaturés	1 g	
Cholestérol	79 mg	27 %
Sodium	366 mg	16 %
Potassium	452 mg	13 %
Glucides	12 g	4 %
Fibres alimentaires	0,5 g	3 %
Sucres	2 g	
Protéines	34 g	
Vitamine A		1 %
Vitamine C		3 %
Calcium		7 %
Fer		10 %
Vitamine D		8 %
Vitamine E		2 %

ÉCHANGE POUR DIABÉTIQUES

3 échanges de viandes et substituts
1/2 échange de féculents

3	grosses poitrines de poulet
80 ml (1/3 de tasse)	de yogourt nature 1 % M.G.
3 c. à soupe	de moutarde de Dijon
180 ml (3/4 de tasse)	de chapelure de blé entier
1/4 de c. à thé (à café)	de chacun des ingrédients suivants: sel d'oignon, graines de céleri, estragon, thym, marjolaine, basilic, cerfeuil, origan, poivre

- Enlever la peau et tout le gras des poitrines de poulet et les séparer en deux (6 morceaux). Bien les assécher.
- Mélanger le yogourt et la moutarde. Réserver.
- Dans un autre bol, mélanger la chapelure et le reste des ingrédients.
- Avec un pinceau de cuisine, badigeonner chaque morceau de poulet avec le mélange de yogourt, puis les rouler dans la préparation de chapelure.
- Les disposer sur une grande tôle recouverte de papier aluminium.
- Cuire à 180 °C (350 °F) 45 à 50 minutes, ou jusqu'à ce que le poulet soit bien doré et bien cuit.

Poulet fruité aux graines de sésame

4 PORTIONS

	Teneur	% VQ
VALEUR NUTRITIVE PAR PORTION		
Calories	280	
Lipides	7 g	12 %
Saturés	1,5 g	8 %
+ Trans	0 g	
Polyinsaturés	1,5 g	
Oméga-6	1,3 g	
Oméga-3 (ALA)	0,1 g	
Oméga-3 (EPA+DHA)	0 g	
Monoinsaturés	4 g	
Cholestérol	87 mg	29 %
Sodium	253 mg	11 %
Potassium	752 mg	22 %
Glucides	17 g	6 %
Fibres alimentaires	1,5 g	7 %
Sucres	9 g	
Protéines	38 g	
Vitamine A		7 %
Vitamine C		160 %
Calcium		5 %
Fer		14 %
Vitamine D		17 %
Vitamine E		11 %

ÉCHANGE POUR DIABÉTIQUES

1 1/2 échange de légumes
4 échanges de viandes et substituts
1/2 échange de matières grasses

250 ml (1 tasse)	de petits morceaux d'ananas en conserve
1 c. à soupe	de sauce soja à faible teneur en sodium
750 ml (3 tasses)	de poitrines de poulet en cubes
1 c. à soupe	de gingembre frais haché
1 c. à soupe	d'huile d'olive
1/2	poivron rouge coupé en julienne
1/2	poivron jaune coupé en julienne
250 ml (1 tasse)	de champignons tranchés
5	oignons verts coupés en tronçons de 2,5 cm (1 po)
1	gousse d'ail hachée
125 ml (1/2 tasse)	de bouillon de poulet maison (voir recette, p. 121) ou du commerce sans gras ni sel
1 c. à soupe	de fécule de maïs
1 c. à soupe	de graines de sésame grillées pour garnir

- Égoutter l'ananas en conservant 60 ml (1/4 de tasse) de jus. Mélanger ce jus à la sauce soja et au gingembre et l'ajouter au poulet pour le faire mariner pendant 30 minutes.

- Dans une grande poêle antiadhésive chauffer l'huile. Égoutter le poulet en réservant la marinade. Faire dorer le poulet dans la poêle pendant 3 minutes et le retirer de la poêle.

- Faire cuire les poivrons rouge et jaune, les champignons, les oignons verts et l'ail en remuant pendant 2 minutes. Ajouter le poulet et l'ananas. Réchauffer le tout durant 3 minutes.

- Mélanger le bouillon de poulet, la marinade réservée et la fécule de maïs. jouter au mélange de poulet et de légumes. Faire cuire quelques minutes jusqu'à épaississement. Garnir de graines de sésame. Servir.

Poulet aux légumes à la chinoise

4 PORTIONS

VALEUR NUTRITIVE PAR PORTION		
	Teneur	% VQ
Calories	350	
Lipides	9,5 g	15 %
Saturés	1,5 g	8 %
+ Trans	0 g	
Polyinsaturés	1,5 g	
Oméga-6	1,1 g	
Oméga-3 (ALA)	0,2 g	
Oméga-3 (EPA+DHA)	0 g	
Monoinsaturés	6 g	
Cholestérol	58 mg	20 %
Sodium	257 mg	11 %
Potassium	718 mg	21 %
Glucides	37 g	13 %
Fibres alimentaires	3 g	12 %
Sucres	5 g	
Protéines	29 g	
Vitamine A		6 %
Vitamine C		156 %
Calcium		6 %
Fer		11 %
Vitamine D		6 %
Vitamine E		19 %

ÉCHANGE POUR DIABÉTIQUES

3 échanges de viandes et substituts
1 1/2 échange de matières grasses
1/2 échange de légumes
1 échange de féculents

2	poitrines de poulet
2 c. à soupe	d'huile d'olive
1	gros oignon haché grossièrement
3	gousses d'ail hachées
1 c. à soupe	de gingembre frais haché
2 branches	de céleri tranchées en biais
250 ml (1 tasse)	de bouquets de brocoli
250 ml (1 tasse)	de bouquets de chou-fleur
1/2	poivron rouge coupé en morceaux
1/2	poivron vert coupé en morceaux
180 ml (3/4 de tasse)	de bouillon de poulet maison (voir recette, p. 121) ou du commerce sans gras ni sel
60 ml (1/4 de tasse)	d'eau froide
1 c. à soupe	de fécule de maïs
1 c. à soupe	de sauce soja à faible teneur en sodium
	Poivre au goût
500 ml (2 tasses)	de riz cuit chaud

- Préparer les poitrines de poulet. Enlever la peau, dégraisser, désosser et couper en petits cubes de 2 cm (3/4 de po). Dans une grande casserole ou un wok, faire chauffer l'huile et y faire dorer les cubes de poulet. Les laisser cuire quelques minutes. Les retirer de la casserole et réserver.
- Dans la même casserole ou wok, faire revenir l'oignon, l'ail et le gingembre. Dorer légèrement. Ajouter tous les légumes. Les faire sauter quelques minutes. Ajouter le bouillon de poulet, couvrir, amener à ébullition et laisser cuire 5 minutes. Les légumes doivent rester croquants. Épaissir la sauce avec un mélange d'eau froide, de fécule de maïs et de sauce soja. Brasser pendant que la sauce épaissit. Assaisonner, ajouter le poulet et bien mélanger. Servir sur un lit de riz.

Note On peut remplacer les brocolis par des bok choys.

Poulet au parfum de septembre

4 PORTIONS

VALEUR NUTRITIVE PAR PORTION

	Teneur	% VQ
Calories	285	
ipides	9 g	14 %
Saturés	2 g	10 %
+ Trans	0,1g	
Polyinsaturés	1,5 g	
Oméga-6	1,3 g	
Oméga-3 (ALA)	0,1 g	
Oméga-3 (EPA+DHA)	0,1 g	
Monoinsaturés	4 g	
Cholestérol	104 mg	35 %
Sodium	433 mg	19 %
Potassium	564 mg	17 %
Glucides	25 g	9 %
Fibres alimentaires	2,5 g	11 %
Sucres	20 g	
Protéines	27 g	
Vitamine A		3 %
Vitamine C		40 %
Calcium		3 %
Fer		13 %
Vitamine D		3 %
Vitamine E		12 %

ÉCHANGE POUR DIABÉTIQUES

3 échanges de viandes et substituts
2 échanges de fruits
1/2 échange de matières grasses
1 échange de féculents

POUR LA MARINADE :

500 ml (2 tasses)	de jus de pomme
1 feuille	de laurier
1/4 de c. à thé (à café)	de thym
1/2 c. à thé (à café)	de sel
	Poivre au goût

4	cuisses entières de poulet, la peau enlevée
1 c. à soupe	d'huile d'olive
250 ml (1 tasse)	de bouillon de poulet maison (voir recette, p. 121) ou du commerce sans gras ni sel
4	pommes à cuire non pelées et coupées en quartiers

- Faire mariner au réfrigérateur les morceaux de poulet au moins 8 heures dans le jus de pomme auquel on aura ajouté le laurier, le thym, le sel et le poivre.
- Bien égoutter le poulet et réserver la marinade.
- Dans une grande poêle antiadhésive, à feu moyen-vif, faire dorer le poulet des deux côtés dans l'huile. Le placer dans une casserole allant au four. Déglacer la poêle avec la marinade et la laisser réduire de moitié. Verser sur les morceaux de poulet. Ajouter le bouillon de poulet et les morceaux de pommes.
- Cuire à 180 °C (350 °F) sans couvrir 1 heure ou jusqu'à ce que le poulet soit tendre.

Roulés de poulet aux fruits

4 PORTIONS

VALEUR NUTRITIVE PAR PORTION		
	Teneur	% VQ
Calories	260	
Lipides	6 g	9 %
Saturés	1 g	6 %
+ Trans	0 g	
Polyinsaturés	1 g	
Oméga-6	0,7 g	
Oméga-3 (ALA)	0,1 g	
Oméga-3 (EPA+DHA)	0 g	
Monoinsaturés	3 g	
Cholestérol	78 mg	26 %
Sodium	609 mg	26 %
Potassium	565 mg	17 %
Glucides	20 g	7 %
Fibres alimentaires	1,5 g	6 %
Sucres	15 g	
Protéines	31 g	
Vitamine A		2 %
Vitamine C		32 %
Calcium		3 %
Fer		7 %
Vitamine D		8 %
Vitamine E		9 %

ÉCHANGE POUR DIABÉTIQUES

3 échanges de viandes et substituts
1 échange de fruits
1/2 échange de matières grasses

2	poitrines de poulet d'environ 375 g (12 oz) chacune
1 c. à soupe	d'huile d'olive
250 ml (1 tasse)	d'ananas en morceaux sans sucre, réserver le jus
250 ml (1 tasse)	d'eau
125 ml (1/2 tasse)	de jus d'ananas sans sucre réservé
1 1/2 c. à soupe	de fécule de maïs
2 c. à soupe	de ketchup
1 c. à soupe	de sauce soja à faible teneur en sodium
2 c. à thé (à café)	de vinaigre de framboise ou de vin
1 c. à thé (à café)	de bouillon de poulet en poudre sans gras ni sel
1/2 c. à thé (à café)	de sel
180 ml (3/4 de tasse)	de segments de mandarines

POUR LA FARCE:

1 c. à soupe	d'oignon haché finement
1	échalote hachée finement
1 c. à soupe	de persil frais haché
2 c. à soupe	de céleri haché
1/2 c. à thé (à café)	de graines de coriandre écrasées
1/8 de c. à thé (à café)	de poudre d'ail
1 pincée	de poivre

- Enlever la peau, le gras et désosser les poitrines de façon à avoir 4 grands morceaux de poulet. Les aplatir entre deux feuilles de papier ciré à l'aide d'un rouleau à pâtisserie, jusqu'à ce qu'ils aient environ 0,5 cm (¼ de po) d'épaisseur.
- Mélanger les ingrédients de la farce et la répartir sur les morceaux de poulet.
- Replier les côtés pour retenir la farce et rouler chacun des morceaux comme un gâteau roulé. Attacher les rouleaux avec des aiguilles à brider ou de la ficelle. Dans une grande poêle antiadhésive, chauffer l'huile et faire dorer les rouleaux de poulet de tous les côtés. Ajouter les morceaux d'ananas. Réserver.
- Dans une petite casserole, mélanger les autres ingrédients, sauf les mandarines.
- Chauffer jusqu'à ce que ce soit un peu épais et translucide. Verser sur le poulet et faire cuire à feu doux 30 à 40 minutes ou jusqu'à ce que le poulet soit tendre et bien cuit.
- Ajouter les mandarines 5 minutes avant la fin de la cuisson.

Poulet à la tomate

4 PORTIONS

VALEUR NUTRITIVE PAR PORTION		
	Teneur	% VQ
Calories	205	
Lipides	2,5 g	4 %
Saturés	1 g	5 %
+ Trans	0 g	
Polyinsaturés	0,5 g	
Oméga-6	0,4 g	
Oméga-3 (ALA)	0,1 g	
Oméga-3 (EPA+DHA)	0 g	
Monoinsaturés	1 g	
Cholestérol	78 mg	26 %
Sodium	672 mg	28 %
Potassium	795 mg	23 %
Glucides	14 g	5 %
Fibres alimentaires	2,5 g	11 %
Sucres	7 g	
Protéines	32 g	
Vitamine A		3 %
Vitamine C		44 %
Calcium		5 %
Fer		10 %
Vitamine D		8 %
Vitamine E		17 %

ÉCHANGE POUR DIABÉTIQUES

3 échanges de viandes et substituts
1 1/2 échange de légumes

2	grosses poitrines de poulet ou 6 cuisses
1	oignon espagnol haché
2	gousses d'ail hachées
540 ml (19 oz)	de tomates étuvées en conserve non égouttées
1/2 c. à thé (à café)	de sel
1/2 c. à thé (à café)	d'origan
1/2 c. à thé (à café)	de basilic
1 c. à soupe	de persil frais haché
1/8 de c. à thé (à café)	de poivre

- Préparer le poulet. Retirer la peau et tout le gras. Couper chaque poitrine en 2 morceaux .
- Dans une grande poêle antiadhésive, faire dorer les morceaux de poulet des deux côtés.
- Mélanger, dans un plat, tous les légumes et les assaisonnements.
- Placer les morceaux de poulet dans une casserole à fond épais et couvrir avec le mélange de légumes. Couvrir et faire cuire à feu très doux jusqu'à ce que la viande soit tendre, de 1 heure à 1 heure 15.
- On peut, si on veut épaissir la sauce, retirer les morceaux de poulet, augmenter la chaleur et la faire réduire en brassant. Puis remettre les morceaux de poulet, réchauffer quelques minutes et servir.

Tournedos de poulet aux perles bleues

4 PORTIONS

4	tournedos de poulet de 150 g (5 oz) chacun
1 c. à soupe	d'huile d'olive
2	échalotes françaises hachées
1/2 c. à thé (à café)	de sel
1/4 de c. à thé (à café)	de poivre
1 c. à soupe	de vinaigre de framboise
125 ml (1/2 tasse)	de vin blanc sec
250 ml (1 tasse)	de bleuets frais ou surgelés

- Chauffer le four à 180 °C (350 °F). Dans une grande poêle antiadhésive, faire chauffer l'huile. Y faire dorer les tournedos sur les deux faces. Ajouter les échalotes et faire dorer légèrement. Saler et poivrer.
- Déposer les tournedos dans une casserole, réserver.
- Déglacer la poêle avec le vinaigre de framboise et le vin blanc pendant 2 minutes. Ajouter les bleuets, laisser mijoter encore pendant 2 minutes, puis verser sur les tournedos. Cuire au four pendant 45 minutes. Si la sauce épaissit trop, ajouter un peu d'eau. Servir les tournedos nappés de la sauce aux bleuets.

VALEUR NUTRITIVE PAR PORTION

	Teneur	% VQ
Calories	250	
Lipides	8 g	13 %
Saturés	2 g	9 %
+ Trans	0 g	
Polyinsaturés	1,5 g	
Oméga-6	1,3 g	
Oméga-3 (ALA)	0,1 g	
Oméga-3 (EPA+DHA)	0,1 g	
Monoinsaturés	4 g	
Cholestérol	104 mg	35 %
Sodium	409 mg	18 %
Potassium	523 mg	15 %
Glucides	11 g	4 %
Fibres alimentaires	1,5 g	6 %
Sucres	6 g	
Protéines	33 g	
Vitamine A		4 %
Vitamine C		15 %
Calcium		3 %
Fer		11 %
Vitamine D		8 %
Vitamine E		9 %

ÉCHANGE POUR DIABÉTIQUES

1/2 échange de fruits
4 échanges de viandes et substituts
1/2 échange de matières grasses

197
Poissons et fruits de mer

Coquilles du pêcheur

8 COQUILLES

500 g (1 lb)	de petits pétoncles
180 ml (³/₄ de tasse)	d'eau
¹/₂ c. à thé (à café)	de sel
	Lait à 1 % M.G.
3 c. à soupe	d'huile d'olive
1 ¹/₂ c. à soupe	d'échalote émincée
250 ml (1 tasse)	de champignons frais tranchés
2 c. à soupe	de farine
2 c. à thé (à café)	de jus de citron
250 ml (1 tasse)	de homard ou de crabe
198 ml (7 oz)	de thon en conserve dans l'eau, égoutté
80 ml (¹/₃ de tasse)	de chapelure
80 ml (¹/₃ de tasse)	d'emmenthal léger à 15 % M.G.

- Mettre les pétoncles dans une casserole avec l'eau et le sel. Faire mijoter pendant 5 minutes. Égoutter. Garder l'eau de cuisson et ajouter assez de lait pour obtenir 375 ml (1 ¹/₂ tasse) de liquide. Réserver.
- À feu doux, faire revenir l'échalote et les champignons dans 1 c. à soupe d'huile. Cuire pendant 2 minutes. Réserver.
- Dans une casserole moyenne, mettre le reste de l'huile, ajouter la farine, remuer. Ajouter le liquide. Tourner à feu doux au fouet jusqu'à épaississement. Incorporer jus de citron, échalote, champignons, pétoncles, homard ou crabe et thon. Mélanger. Verser dans les coquilles vaporisées d'enduit végétal antiadhésif. Mélanger la chapelure et le fromage râpé. Répartir sur les coquilles. Cuire au four à 190 °C (375 °F) pendant 20 à 30 minutes.

Note Pour un mets complet, former une couronne de purée de pommes de terre et verser la préparation de poisson au centre. On peut préparer les coquilles è l'avance. Il suffit de les emballer sous pellicule plastique et de les congeler.

VALEUR NUTRITIVE PAR PORTION

	Teneur	% VQ
Calories	210	
Lipides	8 g	13 %
Saturés	2 g	11 %
+ Trans	0 g	
Polyinsaturés	1 g	
Oméga-6	0,7 g	
Oméga-3 (ALA)	0,1 g	
Oméga-3 (EPA+DHA)	0,3 g	
Monoinsaturés	4,5 g	
Cholestérol	50 mg	17 %
Sodium	438 mg	19 %
Potassium	425 mg	13 %
Glucides	9 g	3 %
Fibres alimentaires	0,5 g	2 %
Sucres	3 g	
Protéines	24 g	
Vitamine A		5 %
Vitamine C		6 %
Calcium		12 %
Fer		8 %
Vitamine D		18 %
Vitamine E		12 %

ÉCHANGE POUR DIABÉTIQUES

3 échanges de viandes et substituts
1 échange de matières grasses

Filets de plie (sole) à la provençale

4 PORTIONS

VALEUR NUTRITIVE PAR PORTION

	Teneur	% VQ
Calories	230	
Lipides	10 g	15 %
Saturés	1,5 g	8 %
+ Trans	0 g	
Polyinsaturés	3 g	
Oméga-6	2,4 g	
Oméga-3 (ALA)	0,4 g	
Oméga-3 (EPA+DHA)	0,3 g	
Monoinsaturés	4 g	
Cholestérol	60 mg	20 %
Sodium	393 mg	17 %
Potassium	750 mg	22 %
Glucides	8 g	3 %
Fibres alimentaires	2 g	8 %
Sucres	4 g	
Protéines	25 g	
Vitamine A		5 %
Vitamine C		119 %
Calcium		5 %
Fer		8 %
Vitamine D		42 %
Vitamine E		21 %

ÉCHANGE POUR DIABÉTIQUES

3 échanges de viandes et substituts
1 échange de légumes
1 échange de matières grasses

500 g (1 lb)	de filets de plie fraîche
1	oignon espagnol haché
1 c. à soupe	d'huile d'olive
1/2	poivron vert haché
1/2	poivron rouge haché
6	gros champignons émincés
2	branches de céleri hachées
60 ml (1/4 de tasse)	de vin blanc sec
1 c. à soupe	de jus de citron
1/2 c. à thé (à café)	de sel
	Poivre au goût
1/2 c. à thé (à café)	d'herbes de Provence (voir recette, p. 273)

- Hacher l'oignon finement et le disposer dans le fond d'un plat allant au four de 22 cm (9 po). Asperger d'huile d'olive. Assaisonner les filets de plie avec le sel, le poivre et les herbes de Provence. Les disposer sur les oignons.
- Étaler uniformément les légumes sur le poisson.
- Combiner vin et jus de citron et verser sur le tout.
- Cuire 25 à 30 minutes à 180 °C (350 °F) ou jusqu'à ce que le poisson s'émiette à la fourchette.

Note La plie est souvent confondue avec la sole qui, elle, est absente des eaux canadiennes. C'est donc la plie canadienne ou la plie rouge qu'on retrouve habituellement dans les poissonneries sous le nom de «sole».

Filets de poisson amandine

4 PORTIONS

60 ml (¼ de tasse)	de farine
60 ml (¼ de tasse)	de yogourt nature à 0,1 % M.G.
½ c. à thé (à café)	de sel
60 ml (¼ de tasse)	de chapelure de pain de blé entier
2 c. à soupe	d'amandes moulues
500 g (1 lb)	de filet de turbot
½ c. à soupe	d'huile d'olive
2 c. à soupe	d'amandes émincées
1 c. à thé (à café)	de jus de citron

- Chauffer le four à 230 °C (450 °F). Séparer le poisson en 4 portions individuelles. Les enrober du mélange de farine et de sel.
- Au pinceau à pâtisserie, badigeonner de yogourt chaque morceau de poisson et les passer ensuite dans le mélange de chapelure et d'amandes moulues.
- Déposer le poisson dans un plat en pyrex vaporisé d'enduit végétal antiadhésif. Cuire au four pendant 15 minutes.
- Entre-temps, placer les amandes émincées dans un petit bol. Ajouter l'huile d'olive et faire cuire pendant 2 ou 3 minutes au micro-ondes à haute intensité (10) ou jusqu'à ce qu'elles soient dorées. Remuer les amandes toutes les minutes. Ajouter le jus de citron. Verser les amandes sur les filet de poisson. Servir.

VALEUR NUTRITIVE PAR PORTION

	Teneur	% VQ
Calories	250	
Lipides	9,5 g	15 %
Saturés	1,5 g	9 %
+ Trans	0 g	
Polyinsaturés	2,5 g	
Oméga-6	1,3 g	
Oméga-3 (ALA)	0,1 g	
Oméga-3 (EPA+DHA)	1,1 g	
Monoinsaturés	5 g	
Cholestérol	61 mg	21 %
Sodium	547 mg	23 %
Potassium	426 mg	13 %
Glucides	15 g	5 %
Fibres alimentaires	0,5 g	3 %
Sucres	2 g	
Protéines	25 g	
Vitamine A		2 %
Vitamine C		5 %
Calcium		8 %
Fer		12 %
Vitamine D		1 %
Vitamine E		47 %

ÉCHANGE POUR DIABÉTIQUES

½ échange de féculents
3 échanges de viandes et substituts
½ échange de matières grasses

Filets de poisson aux petits légumes
4 PORTIONS

500 g (1 lb)	de filets de morue, aiglefin ou turbot
1 c. à soupe	d'huile d'olive
60 ml (¹/₄ de tasse)	de céleri coupé en dés
1	petit oignon haché finement
60 ml (¹/₄ de tasse)	de poivron jaune coupé en petits dés
1	tomate fraîche coupée en dés
1 c. à thé (à café)	d'herbes de Provence
¹/₂ c. à thé (à café)	de sel
¹/₄ de c. à thé (à café)	de poivre
60 ml (¹/₄ de tasse)	de chapelure de blé entier
2 c. à soupe	de persil frais haché

- Chauffer le four à 230 °C (450 °F). Chauffer l'huile d'olive dans une grande poêle antiadhésive. À feu moyen, y faire attendrir le céleri, l'oignon, l'ail et le poivron. Ajouter la tomate, les herbes de Provence, le sel, le poivre et la chapelure. Réserver.
- Vaporiser un plat à four d'enduit végétal antiadhésif. Y déposer en une seule couche les filets de poisson coupés en portions individuelles. Étendre le mélange de petits légumes sur le poisson. Cuire au four pendant 15 minutes. Parsemer de persil haché et servir.

Filets de poisson à l'orange

4 PORTIONS

VALEUR NUTRITIVE PAR PORTION		
	Teneur	% VQ
Calories	220	
Lipides	7 g	13 %
Saturés	1 g	6 %
+ Trans	0 g	
Polyinsaturés	1 g	
Oméga-6	0,7 g	
Oméga-3 (ALA)	0,1 g	
Oméga-3 (EPA+DHA)	0,2 g	
Monoinsaturés	5 g	
Cholestérol	69 mg	23 %
Sodium	397 mg	17 %
Potassium	462 mg	14 %
Glucides	10 g	4 %
Fibres alimentaires	1 g	5 %
Sucres	7 g	
Protéines	30 g	
Vitamine A		4 %
Vitamine C		58 %
Calcium		4 %
Fer		7 %
Vitamine D		18 %
Vitamine E		21 %

ÉCHANGE POUR DIABÉTIQUES

3 échanges de viandes et substituts
1 échange de matières grasses
$1/2$ échange de légumes

500 g (1 lb)	de filets de morue, de flétan ou d'aiglefin
90 ml (6 c. à soupe)	de jus d'orange frais
1	oignon haché
2 c. à soupe	de persil haché
1 c. à thé (à café)	de gingembre frais haché
$1/8$ de c. à thé (à café)	de poivre de cayenne
2 c. à soupe	d'huile d'olive
$1/2$ c. à thé (à café)	de sel
	Poivre au goût
1	orange tranchée très mince, pour garnir

- Préparer la marinade: mélanger le jus d'orange, l'oignon, le persil, le gingembre, le poivre de cayenne et l'huile, saler et poivrer. Réserver.
- Parer les tranches de poisson, les placer dans un plat allant au four. Arroser avec la marinade. Laisser mariner au réfrigérateur 2 heures.
- Chauffer le four à 180 °C (350 °F), y faire cuire le poisson 20 à 25 minutes. Servir avec de minces tranches d'orange pour garnir. Arroser avec le jus de cuisson.

Filets de truite au fenouil

4 PORTIONS

4 filets	de truite arc-en-ciel de 125 g (4 ½ oz) chacun
¼ de c. à thé (à café)	de sel
¼ de c. à thé (à café)	de poivre
2 c. à soupe	de ciboulette hachée finement

POUR LA SAUCE:

125 ml (½ tasse)	de fromage blanc (cottage) à 2 % M.G.
2 c. à soupe	de yogourt nature à 0,1 % M.G.
2 c. à soupe	de fenouil frais haché
¼ de c. à thé (à café)	de sel
¼ de c. à thé (à café)	de poivre

- Chauffer le four à 200 °C (400 °F). Vaporiser d'enduit végétal antiadhésif une grande feuille de papier d'aluminium. Y déposer les filets de truite en une seule couche. Saler, poivrer et parsemer de ciboulette. Refermer le papier d'aluminium en le scellant bien. Placer le tout dans une lèchefrite et faire cuire au four pendant 15 minutes.
- Dans le mélangeur ou au robot culinaire, verser le fromage, le yogourt, le fenouil, le sel et le poivre. Mélanger pendant quelques secondes jusqu'à homogénéité. Servir la sauce avec le poisson.

VALEUR NUTRITIVE PAR PORTION

	Teneur	% VQ
Calories	205	
Lipides	7 g	12 %
Saturés	2,5 g	12 %
+ Trans	0 g	
Polyinsaturés	2,5 g	
Oméga-6	0,9 g	
Oméga-3 (ALA)	0,1 g	
Oméga-3 (EPA+DHA)	1,2 g	
Monoinsaturés	2 g	
Cholestérol	77 mg	26 %
Sodium	410 mg	18 %
Potassium	627 mg	18 %
Glucides	2 g	1 %
Fibres alimentaires	0 g	1 %
Sucres	1 g	
Protéines	31 g	
Vitamine A		12 %
Vitamine C		9 %
Calcium		11 %
Fer		4 %
Vitamine D		1 %
Vitamine E		1 %

ÉCHANGE POUR DIABÉTIQUES

4 échanges de viandes et substituts

Fruits de mer et légumes en casserole

4 PORTIONS

500 g (1 lb)	de pétoncles
250 g (½ lb)	de chair de crabe ou de homard coupée en cubes
2 branches	de céleri émincées
1	carotte émincée
½	poivron vert coupé en cubes
½	poivron rouge coupé en cubes
1	oignon haché finement
125 ml (½ tasse)	de bouillon de poulet maison (voir recette, p. 121) ou du commerce sans gras ni sel
2 c. à soupe	d'huile d'olive
2 c. à thé (à café)	de fécule de maïs
	Poivre au goût
	Minces tranches de citron pour garnir

- Mettre 1 c. à soupe d'huile dans une poêle antiadhésive. Ajouter les pétoncles, faire cuire à feu moyen 2 minutes. Ajouter le crabe ou le homard et continuer à cuire 2 minutes en remuant constamment. Enlever les fruits de mer du poêlon et réserver.
- Mettre le reste de l'huile dans la poêle. Ajouter le céleri, les carottes, les poivrons vert et rouge et l'oignon. Faire cuire 3 minutes et réduire le feu, laisser mijoter 3 à 4 minutes couvert. Assaisonner.
- Épaissir la sauce avec la fécule de maïs délayée dans 2 c. à soupe d'eau froide. Remettre les fruits de mer dans la sauce. Mélanger et servir avec un riz aromatisé au persil ou sur un lit de linguine.
- Garnir de tranches de citron.

Note C'est un plat délicieux, coloré et agréable à présenter. Les légumes très peu cuits conservent leurs belles couleurs vives.

Moules marinières

2 PORTIONS COMME PLAT PRINCIPAL

4 PORTIONS COMME ENTRÉE

1 kg (2 lb)	de moules fraîches
1	petit oignon haché finement
1 c. à soupe	de persil frais haché
1/4 de c. à thé (à café)	de thym
1/8 de c. à thé (à café)	de poudre d'ail
	Poivre au goût
125 ml (1/2 tasse)	de vin blanc sec

- Nettoyer les moules à l'aide d'une brosse ferme et jeter celles qui ne s'ouvrent pas immédiatement dans l'eau froide ou si vous les frappez du bout des doigts.
- Mettre tous les ingrédients dans une casserole. Couvrir et faire cuire à feu moyen pendant 4 minutes. Brasser les moules 1 ou 2 fois. S'assurer que toutes les moules sont maintenant ouvertes.
- Si nécessaire, faire cuire encore 1 ou 2 minutes. Jeter alors celles qui ne veulent pas s'ouvrir.
- Déguster avec des fettuccine aux légumes (voir recette, p. 134) ou des biscottes de blé entier.

Note Les moules fraîches, en saison, ne sont pas vraiment chères. Malgré tout, elles constituent un plat de choix, élégant et raffiné. Elles ont une faible teneur en gras et en cholestérol.

Poisson croustillant

4 PORTIONS

VALEUR NUTRITIVE PAR PORTION		
	Teneur	% VQ
Calories	205	
Lipides	4 g	7 %
Saturés	1 g	5 %
+ Trans	0 g	
Polyinsaturés	0,5 g	
Oméga-6	0,2 g	
Oméga-3 (ALA)	0 g	
Oméga-3 (EPA+DHA)	0,3 g	
Monoinsaturés	2 g	
Cholestérol	2 mg	21 %
Sodium	343 mg	15 %
Potassium	516 mg	15 %
Glucides	15 g	5 %
Fibres alimentaires	0,5 g	2 %
Sucres	3 g	
Protéines	26 g	
Vitamine A		4 %
Vitamine C		4 %
Calcium		6 %
Fer		18 %
Vitamine D		36 %
Vitamine E		10 %

ÉCHANGE POUR DIABÉTIQUES

3 échanges de viandes et substituts

500 g (1 lb)	de filet de plie (sole), de turbot ou de morue
125 ml (½ tasse)	de lait 1 % M.G.
¼ de c. à thé (à café)	de sel
¼ de c. à thé (à café)	de poivre
250 ml (1 tasse)	de flocons de maïs finement émiettés
2 c. à thé (à café)	d'huile d'olive

- Parer le poisson. Le couper en portions individuelles.
- Mélanger le lait, le sel et le poivre. Y plonger les morceaux de poisson et les rouler ensuite dans les céréales finement émiettées.
- Disposer dans un plat en pyrex légèrement huilé et verser ce qui reste d'huile sur les morceaux de poisson.
- Cuire à 230 °C (450 °F) 15 minutes.

Note Ce poisson se sert très bien sur un coulis de tomate (voir recette, p. 214), garni de ciboulette hachée finement.

Saumon barbecue

4 PORTIONS

(CUISSON AU BARBECUE)

4	darnes de saumon de 150 g (5 oz) chacune

POUR LA MARINADE:

60 ml (¼ de tasse)	d'huile d'olive
60 ml (¼ de tasse)	de vin blanc
2 c. à soupe	de vinaigre de framboise
2 c. à soupe	d'échalote hachée
1 gousse	d'ail hachée
1 c. à soupe	d'aneth frais haché

- Parer les darnes de saumon. Les déposer en une seule couche dans un plat peu profond.
- Faire un mélange des autres ingrédients et le verser sur les darnes. Couvrir et réfrigérer au moins 6 heures ou, mieux, toute la nuit. Tourner les darnes 1 ou 2 fois.
- Allumer le barbecue à chaleur moyenne. Vaporiser la grille d'enduit végétal antiadhésif.
- Égoutter les darnes, réserver la marinade. Faire griller les darnes pendant 5 minutes sur chaque face. Badigeonner de marinade durant la cuisson.

VALEUR NUTRITIVE PAR PORTION

	Teneur	% VQ
Calories	310	
Lipides	20 g	31 %
Saturés	3,5 g	19 %
+ Trans	0 g	
Polyinsaturés	6 g	
Oméga-6	1,2 g	
Oméga-3 (ALA)	0,2 g	
Oméga-3 (EPA+DHA)	2,9 g	
Monoinsaturés	8,5 g	
Cholestérol	89 mg	30 %
Sodium	90 mg	4 %
Potassium	555 mg	16 %
Glucides	0 g	1 %
Fibres alimentaires	0 g	1 %
Sucres	0 g	
Protéines	30 g	
Vitamine A		3 %
Vitamine C		11 %
Calcium		2 %
Fer		5 %
Vitamine D		181 %
Vitamine E		5 %

ÉCHANGE POUR DIABÉTIQUES

4 échanges de viandes et substituts
2 échanges de matières grasses

Tomates farcies aux fruits de mer

6 PORTIONS

6	belles tomates fermes
125 ml (1/2 tasse)	de chair de crabe
125 ml (1/2 tasse)	de langoustines cuites et coupées en cubes
125 ml (1/2 tasse)	de poisson cuit (sol, aiglefin, truite, etc.)
2	oignons verts hachés finement
125 ml (1/2 tasse)	de céleri haché finement
3 c. à soupe	de poivron rouge ou vert haché
180 ml (3/4 de tasse)	de pulpe de tomate
60 ml (1/4 de tasse)	de sauce à salade légère
1/4 de c. à thé (à café)	de sel
	Poivre au goût
	Persil pour décorer

- Enlever une tranche sur le dessus de chaque tomate. Retirer la pulpe, l'égoutter dans une passoire pendant qu'on prépare la farce.
- Une fois égouttée, en ajouter 180 ml (3/4 de tasse) aux autres ingrédients. Farcir les tomates.
- Refroidir et décorer de persil au moment de servir.

Note La tomate farcie aux fruits de mer peut très bien être servie comme entrée sur une petite feuille de laitue ou encore faire partie d'un buffet froid.

VALEUR NUTRITIVE PAR PORTION

	Teneur	% VQ
Calories	110	
Lipides	4 g	6 %
Saturés	0,5 g	4 %
+ Trans	0 g	
Polyinsaturés	2,5 g	
Oméga-6	2 g	
Oméga-3 (ALA)	0,3 g	
Oméga-3 (EPA+DHA)	0,2 g	
Monoinsaturés	1 g	
Cholestérol	29 mg	10 %
Sodium	296 mg	13 %
Potassium	408 mg	12 %
Glucides	10 g	4 %
Fibres alimentaires	2 g	8 %
Sucres	2 g	
Protéines	10 g	
Vitamine A		6 %
Vitamine C		36 %
Calcium		3 %
Fer		7 %
Vitamine D		4 %
Vitamine E		9 %

ÉCHANGE POUR DIABÉTIQUES

1/2 échange de viandes et substituts
1 échange de légumes
1/2 échange de matières grasses

Truite en papillote sur le gril

4 PORTIONS

(CUISSON BARBECUE)

	VALEUR NUTRITIVE PAR PORTION		
		Teneur	% VQ
Calories		210	
Lipides		7,5 g	14 %
Saturés		2 g	10 %
+ Trans		0 g	
Polyinsaturés		1,5 g	
Oméga-6		0,6 g	
Oméga-3 (ALA)		0,1 g	
Oméga-3 (EPA+DHA)		0,7 g	
Monoinsaturés		4 g	
Cholestérol		104 mg	35 %
Sodium		464 mg	20 %
Potassium		600 mg	18 %
Glucides		12 g	4 %
Fibres alimentaires		1,5 g	7 %
Sucres		2 g	
Protéines		23 g	
Vitamine A			16 %
Vitamine C			16 %
Calcium			5 %
Fer			8 %
Vitamine D			176 %
Vitamine E			7 %

ÉCHANGE POUR DIABÉTIQUES

3 échanges de légumes
4 échanges de viandes et substituts
1/2 échange de matières grasses

1	truite entière de 1 à 1,5 kg (2 à 3 lb)
1	citron tranché mince

POUR LA FARCE:

250 ml (1 tasse)	de croûtons grossièrement écrasés
125 ml (1/2 tasse)	de céleri haché
160 ml (2/3 de tasse)	de carottes râpées
3 c. à soupe	d'échalote hachée
2 c. à soupe	de jus de citron
80 ml (1/3 de tasse)	de vin blanc sec
1/2 c. à thé (à café)	de sel
	Poivre au goût
1 c. à soupe	d'huile d'olive

- Dans un petit poêlon, chauffer l'huile. À feu doux, y faire cuire le céleri, les carottes et l'échalote environ 4 à 5 minutes.
- Mélanger avec les croûtons et le jus de citron. Mouiller avec le vin blanc. Assaisonner, farcir le poisson et ficeler pour que la farce reste à l'intérieur.
- Huiler généreusement le côté lustré d'un papier d'aluminium plié en deux et assez grand pour bien envelopper le poisson. Enduire l'extérieur du poisson d'huile.
- Déposer les tranches de citron sur la feuille d'aluminium. Coucher le poisson sur le citron. Mettre le reste des tranches de citron sur le dessus. Replier le papier d'aluminium de façon à bien le fermer sans toutefois serrer sur le poisson.
- Le poisson est cuit lorsque la chair est opaque.
- Déposer le poisson dans une grande assiette réchauffée. Garnir de morceaux de citron et de bouquets de persil.

Note Pour varier les menus d'été, quoi de mieux qu'un poisson en papillote cuit sur le barbecue? Cette méthode de cuisson convient très bien aux poissons entiers comme la truite, le doré ou le brochet.

Vol-au-vent grande marée

4 PORTIONS

VALEUR NUTRITIVE PAR PORTION

	Teneur	% VQ
Calories	315	
Lipides	17 g	27 %
Saturés	2,5 g	13 %
+ Trans	0 g	
Polyinsaturés	2,5 g	
Oméga-6	2,3 g	
Oméga-3 (ALA)	0,2 g	
Oméga-3 (EPA+DHA)	0,1 g	
Monoinsaturés	11 g	
Cholestérol	39 mg	13 %
Sodium	667 mg	28 %
Potassium	431 mg	13 %
Glucides	25 g	9 %
Fibres alimentaires	3 g	13 %
Sucres	7 g	
Protéines	17 g	
Vitamine A		6 %
Vitamine C		50 %
Calcium		6 %
Fer		17 %
Vitamine D		5 %
Vitamine E		25 %

ÉCHANGE POUR DIABÉTIQUES

1/2 échange de lait
1 échange de féculents
2 échanges de viandes et substituts
2 échanges de matières grasses

4 tranches	de baguette de blé entier
250 ml (1 tasse)	de petits pétoncles
125 ml (1/2 tasse)	d'eau
	Lait à 1 % M.G.
1 c. à soupe	d'huile d'olive
3	oignons verts hachés finement
1	échalote hachée finement
160 ml (2/3 de tasse)	de champignons tranchés
3 c. à soupe	de poivron vert en dés
3 c. à soupe	de poivron rouge en dés
2 c. à soupe	de margarine
3 c. à soupe	de farine
125 ml (1/2 tasse)	de chair de crabe
1/2 c. à thé (à café)	de sel
	Poivre au goût
1/2 c. à thé (à café)	d'origan
4	belles crevettes
	Persil pour garnir

- Mouler les 4 tranches de pain dans un moule à muffin et les mettre dans un four chauffé à 180 °C (350 °F), jusqu'à ce que le pain soit doré. Garder au chaud.
- Faire mijoter les pétoncles dans l'eau pendant 3 minutes. Les égoutter et réserver l'eau de cuisson. Y ajouter du lait pour obtenir 375 ml (1 ½ tasse) de liquide. Réserver.
- Chauffer l'huile à feu doux. Y faire revenir les oignons, l'échalote, les champignons et les 2 poivrons. Faire cuire durant 3 minutes. Réserver.
- Dans une casserole moyenne, faire fondre les 2 c. à soupe de margarine. Ajouter la farine en la mélangeant. Ajouter le liquide, chauffer à feu doux en brassant au fouet jusqu'à épaississement. Ajouter les pétoncles, le crabe, les oignons et les champignons. Assaisonner.
- Verser sur les croûtes de pain chaudes et garnir d'une crevette et d'un petit bouquet de persil.

213

Sauces, marinades et trempettes

Coulis de tomates

DONNE 375 ML (1 1/2 TASSE)

750 g (1 1/2 lb)	de tomates fraîches
1	gros oignon haché
1	branche de céleri avec feuilles
1	gousse d'ail
1 c. à soupe	d'huile d'olive
1/2 c. à thé (à café)	de basilic
1/2 c. à thé (à café)	d'estragon
1/4 de c. à thé (à café)	d'origan
1/4 de c. à thé (à café)	de sel
1 pincée	de poivre

- Blanchir les tomates 1 minute. Les refroidir, les peler et les hacher. Réserver.
- Dans une petite casserole, chauffer l'huile et y faire attendrir les oignons, l'ail et le céleri 3 minutes à feu moyen.
- Ajouter les tomates et le reste des ingrédients. Laisser mijoter à demi-couvert et à feu doux 15 minutes.
- Retirer du feu et passer au mélangeur pour obtenir une purée lisse et homogène.

Note On peut faire le coulis à partir de tomates en conserve. Employer alors 796 ml (28 oz) de tomates étuvées en conserve au lieu des tomates fraîches. Procéder de la même façon que ci-dessus pour faire le coulis. Cette sauce se congèle très bien.

VALEUR NUTRITIVE
PAR PORTION DE 1 C. À SOUPE

	Teneur	% VQ
Calories	15	
Lipides	0,7 g	2 %
Saturés	0,1 g	1 %
+ Trans	0 g	
Polyinsaturés	0 g	
Oméga-6	0,1 g	
Oméga-3 (ALA)	0,1 g	
Oméga-3 (EPA+DHA)	0 g	
Monoinsaturés	0,5 g	
Cholestérol	0 mg	0 %
Sodium	24 mg	1 %
Potassium	85 mg	3 %
Glucides	2 g	1 %
Fibres alimentaires	0,5 g	3 %
Sucres	1 g	
Protéines	0,5 g	
Vitamine A		2 %
Vitamine C		6 %
Calcium		1 %
Fer		2 %
Vitamine D		0 %
Vitamine E		2 %

ÉCHANGE POUR DIABÉTIQUES

aucun

Marinade à l'orange

DONNE 250 ML (1 TASSE)

VALEUR NUTRITIVE PAR PORTION DE 1 C. À SOUPE		
	Teneur	% VQ
Calories	33	
Lipides	2,6 g	4 %
Saturés	0,3 g	2 %
+ Trans	0 g	
Polyinsaturés	0,2 g	
Oméga-6	0,2 g	
Oméga-3 (ALA)	0 g	
Oméga-3 (EPA+DHA)	0 g	
Monoinsaturés	1,9 g	
Cholestérol	0 mg	0 %
Sodium	39 mg	2 %
Potassium	40 mg	1 %
Glucides	2,2 g	1 %
Fibres alimentaires	0,2 g	1 %
Sucres	1,1 g	
Protéines	0,2 g	
Vitamine A		0 %
Vitamine C		11 %
Calcium		0 %
Fer		1 %
Vitamine D		0 %
Vitamine E		4 %

ÉCHANGE POUR DIABÉTIQUES

aucun

2	oranges
1 c. à soupe	de sauce soja légère
1	gousse d'ail hachée
1	échalote française hachée
1 c. à soupe	de gingembre frais haché
60 ml (1/4 de tasse)	de vin rouge
3 c. à soupe	d'huile d'olive
1 pincée	de poivre

- À l'aide d'un zesteur, recueillir le zeste d'une des oranges. Extraire le jus des 2 oranges. Mélanger tous les ingrédients.
- Faire mariner la viande durant 2 à 6 heures. Ensuite, l'égoutter et la faire griller.

Note Si elle n'est utilisée que comme marinade, la valeur nutritive est négligeable. Les valeurs contenues dans le tableau ne s'appliquent que lorsqu'elle est utilisée en sauce.

Pesto

DONNE 375 ML (1 1/2 TASSE)

	de persil frais bien tassé
125 ml (1/2 tasse)	de persil frais bien tassé
125 ml (1/2 tasse)	de basilic frais bien tassé
2	grosses gousses d'ail
80 ml (1/3 de tasse)	d'huile d'olive
60 ml (1/4 de tasse)	de pignons
60 ml (1/4 de tasse)	de parmesan râpé

- Débarrasser les feuilles de basilic de leur tige. Enlever également les tiges de persil. Jeter les tiges. Rincer le basilic et le persil et les assécher.
- Broyer au robot culinaire le persil, le basilic, l'ail, les pignons, le parmesan et 2 c. à soupe d'huile d'olive.
- Racler la paroi du récipient. Remettre le robot culinaire en marche et ajouter lentement le reste de l'huile par l'orifice. Racler à nouveau la paroi et mélanger à nouveau pendant 2 à 3 secondes.

Note Le pesto se conserve pendant 5 jours au réfrigérateur et durant environ 3 mois au congélateur.

VALEUR NUTRITIVE PAR PORTION DE 1 C. À SOUPE

	Teneur	% VQ
Calories	45	
Lipides	4 g	7 %
Saturés	0,5 g	4 %
+ Trans	0 g	
Polyinsaturés	1 g	
Oméga-6	0,8 g	
Oméga-3 (ALA)	0,1 g	
Oméga-3 (EPA+DHA)	0 g	
Monoinsaturés	2,5 g	
Cholestérol	1 mg	1 %
Sodium	18 mg	1 %
Potassium	30 mg	1 %
Glucides	1 g	1 %
Fibres alimentaires	0 g	1 %
Sucres	1 g	
Protéines	1 g	
Vitamine A		2 %
Vitamine C		7 %
Calcium		2 %
Fer		3 %
Vitamine D		1 %
Vitamine E		6 %

ÉCHANGE POUR DIABÉTIQUES

1 échange de matières grasses

Sauce aigre-douce

DONNE 375 ML (1 1/2 TASSE)

400 ml (14 oz)	d'ananas broyé, non sucré en conserve
2 c. à soupe	de sauce soja légère
3 c. à soupe	de vinaigre de vin blanc
2 c. à soupe	de ketchup
1 c. à soupe	de fécule de maïs
2 c. à soupe	d'édulcorant hypocalorique

- Porter à ébullition l'ananas non égoutté, la sauce soja et le ketchup.
- Délayer la fécule de maïs dans le vinaigre de vin et l'ajouter au mélange précédent.
- Diminuer la chaleur et laisser mijoter la sauce pendant 5 minutes tout en l'agitant au fouet. Retirer du feu et ajouter l'édulcorant.
- Servir avec des tournedos de poulet, de dinde ou de porc.

VALEUR NUTRITIVE PAR PORTION DE 60 ML (1/4 DE TASSE)

	Teneur	% VQ
Calories	55	
Lipides	0 g	0 %
Saturés	0 g	0 %
+ Trans	0 g	
Polyinsaturés	0 g	
Oméga-6	0 g	
Oméga-3 (ALA)	0 g	
Oméga-3 (EPA+DHA)	0 g	
Monoinsaturés	0 g	
Cholestérol	0 mg	0 %
Sodium	260 mg	11 %
Potassium	124 mg	4 %
Glucides	14 g	5 %
Fibres alimentaires	1 g	4 %
Sucres	12 g	
Protéines	1 g	
Vitamine A		1 %
Vitamine C		13 %
Calcium		2 %
Fer		3 %
Vitamine D		0 %
Vitamine E		1 %

ÉCHANGE POUR DIABÉTIQUES

1/2 échange de fruits

Sauce barbecue

DONNE 375 ML (1 ½ TASSE)

VALEUR NUTRITIVE PAR PORTION DE 1 C. À SOUPE		
	Teneur	% VQ
Calories	12	
Lipides	0,6 g	1 %
Saturés	0,1 g	1 %
+ Trans	0 g	
Polyinsaturés	0,2 g	
Oméga-6	0,1 g	
Oméga-3 (ALA)	0,1 g	
Oméga-3 (EPA+DHA)	0 g	
Monoinsaturés	0,4 g	
Cholestérol	0 mg	0 %
Sodium	60 mg	3 %
Potassium	59 mg	2 %
Glucides	1,5 g	1 %
Fibres alimentaires	0 g	1 %
Sucres	1 g	
Protéines	0,3 g	
Vitamine A		2 %
Vitamine C		11 %
Calcium		1 %
Fer		2 %
Vitamine D		0 %
Vitamine E		2 %

ÉCHANGE POUR DIABÉTIQUES
aucun

1 c. à soupe	d'huile d'olive
1	échalote française hachée
1	gousse d'ail hachée
500 ml (2 tasses)	de jus de légumes
1 c. à soupe	de pâte de tomates
1 c. à thé (à café)	de moutarde de Dijon
2 c. à soupe	de vinaigre de vin à l'estragon
	Quelques gouttes de tabasco
1 pincée	de poivre
¼ de c. à thé (à café)	de paprika
¼ de c. à thé (à café)	d'origan
1 c. à thé (à café)	de persil haché

- Dans une casserole épaisse, faire cuire l'oignon à feu moyen 2 à 3 minutes dans l'huile: ajouter l'ail, faire cuire 1 autre minute. Ajouter le jus et la pâte de tomates, la moutarde, le vinaigre et le tabasco. Assaisonner avec le reste des ingrédients.
- Laisser mijoter à feu doux 30 minutes. Couvrir à demi le chaudron. La sauce épaissit en refroidissant. La conserver au réfrigérateur.

Note Elle est délicieuse pour badigeonner un steak cuit au barbecue ou pour accompagner du poulet cuit au four comme le Poulet croustillant aux aromates (voir recette, p. 188).

Sauce au citron

DONNE 300 ML (1 ¼ DE TASSE)

VALEUR NUTRITIVE PAR PORTION DE 1 C. À SOUPE		
	Teneur	% VQ
Calories	5	
Lipides	0,1 g	0 %
Saturés	0 g	0 %
+ Trans	0 g	
Polyinsaturés	0 g	
Oméga-6	0 g	
Oméga-3 (ALA)	0 g	
Oméga-3 (EPA+DHA)	0 g	
Monoinsaturés	0 g	
Cholestérol	0 mg	0 %
Sodium	30 mg	2 %
Potassium	18 mg	1 %
Glucides	0,5 g	1 %
Fibres alimentaires	0 g	1 %
Sucres	1 g	
Protéines	0,5 g	
Vitamine A		1 %
Vitamine C		1 %
Calcium		1 %
Fer		1 %
Vitamine D		0 %
Vitamine E		1 %

ÉCHANGE POUR DIABÉTIQUES

aucun

375 ml (1 ½ tasse)	de bouillon de poulet maison (voir recette, p. 121) ou du commerce sans gras ni sel
1 c. à soupe	de jus de citron
	Zeste de 1 citron
2 c. à thé (à café)	de fécule de maïs
¼ de c. à thé (à café)	d'estragon
¼ de c. à thé (à café)	de sel
	Poivre au goût

- Faire chauffer le bouillon de poulet. Mélanger le jus de citron et la fécule de maïs. Ajouter au bouillon chaud. Ajouter le zeste. Laisser cuire sur feu doux jusqu'à épaississement en remuant. Assaisonner d'estragon, de sel et de poivre.

Note Délicieuse sur des brochettes de poisson ou des filets pochés.

Sauce aux champignons

4 à 6 PORTIONS

(CUISSON AU MICRO-ONDES OU SUR LA CUISINIÈRE)

VALEUR NUTRITIVE PAR PORTION DE 1 C. À SOUPE		
	Teneur	% VQ
Calories	40	
Lipides	2 g	3 %
Saturés	0,5 g	2 %
+ Trans	0 g	
Polyinsaturés	0,5 g	
Oméga-6	0,3 g	
Oméga-3 (ALA)	0,1 g	
Oméga-3 (EPA+DHA)	0 g	
Monoinsaturés	1 g	
Cholestérol	0 mg	0 %
Sodium	95 mg	4 %
Potassium	158 mg	5 %
Glucides	5 g	2 %
Fibres alimentaires	1 g	4 %
Sucres	2 g	
Protéines	1,5 g	
Vitamine A		1 %
Vitamine C		6 %
Calcium		1 %
Fer		3 %
Vitamine D		5 %
Vitamine E		5 %

ÉCHANGE POUR DIABÉTIQUES

aucun

2 c. à thé (à café)	d'huile d'olive
1	oignon haché finement
1	gousse d'ail écrasée
2 c. à thé (à café)	de fécule de maïs
180 ml (3/4 de tasse)	de bouillon de bœuf maison (voir recette, p. 120) ou du commerce sans gras ni sel
2 c. à soupe	de pâte de tomates
1 pincée	d'herbes de Provence (voir p. 273)
1/4 de c. à thé (à café)	de sel
1 pincée	de poivre
250 ml (1 tasse)	de champignons frais émincés

Cuisson au micro-ondes:

- Dans un bol à micro-ondes de 500 ml (2 tasses), mélanger, huile, oignon et ail. Couvrir et faire cuire pendant 3 minutes à haute intensité (10).
- Délayer la fécule dans le bouillon. Verser dans le mélange précédent. Ajouter la pâte de tomates et les assaisonnements. Cuire à découvert, à haute intensité, pendant 2 minutes. Mélanger. Ajouter les champignons et faire cuire à découvert pendant 3 minutes en remuant 2 fois ou jusqu'à ce que la sauce soit onctueuse.

Cuisson sur la cuisinière:

- Dans une poêle, faire chauffer l'huile. Ajouter l'oignon et l'ail. Faire cuire à feux doux pendant 5 minutes sans laisser brunir. Ajouter le bouillon et la pâte de tomates. Porter à ébullition. Ajouter les champignons et les assaisonnements. Laisser mijoter à feu doux pendant 3 minutes. Ajouter la fécule délayée dans 2 c. à soupe d'eau froide. Faire cuire jusqu'à épaississement.

Note Cette sauce simple, vite faite, est exquise sur du steak haché, un tournedos dont on a supprimé le gras visible ou un pain de viande.

Sauce à la menthe

4 PORTIONS

125 ml (¹/₂ tasse)	de jus de pomme non sucré
1 c. à thé (à café)	de vinaigre de vin rouge
1 c. à thé (à café)	de zeste de citron
1 c. à soupe	de jus de citron
1 c. à soupe	de menthe fraîche hachée
ou	
1 c. à thé (à café)	de menthe séchée
1 c. à thé (à café)	de fécule de maïs

- Amener à ébullition le jus de pomme, le vinaigre, le zeste, le jus de citron et la menthe. Laisser mijoter 2 minutes. Épaissir avec la fécule de maïs délayée dans 1 c. à soupe d'eau froide.
- Servir sur des côtelettes ou des steaks d'agneau.

VALEUR NUTRITIVE
PAR PORTION DE 1 C. À SOUPE

	Teneur	% VQ
Calories	20	
Lipides	0 g	0 %
Saturés	0 g	0 %
+ Trans	0 g	
Polyinsaturés	0 g	
Oméga-6	0 g	
Oméga-3 (ALA)	0 g	
Oméga-3 (EPA+DHA)	0 g	
Monoinsaturés	0 g	
Cholestérol	0 mg	0 %
Sodium	2 mg	1 %
Potassium	52 mg	2 %
Glucides	5 g	2 %
Fibres alimentaires	0 g	1 %
Sucres	4 g	
Protéines	0 g	
Vitamine A		1 %
Vitamine C		26 %
Calcium		1 %
Fer		3 %
Vitamine D		0 %
Vitamine E		1 %

ÉCHANGE POUR DIABÉTIQUES

aucun

Sauce à spaghetti aux légumes
DONNE 1,25 LITRE (5 TASSES)

VALEUR NUTRITIVE PAR PORTION DE 125 ML (1/2 TASSE)	Teneur	% VQ
Calories	65	
Lipides	3 g	5 %
Saturés	0,5 g	3 %
+ Trans	0 g	
Polyinsaturés	1 g	
Oméga-6	0,9 g	
Oméga-3 (ALA)	0 g	
Oméga-3 (EPA+DHA)	0 g	
Monoinsaturés	1,5 g	
Cholestérol	0 mg	0 %
Sodium	200 mg	9 %
Potassium	274 mg	8 %
Glucides	9 g	4 %
Fibres alimentaires	1,5 g	7 %
Sucres	4 g	
Protéines	1 g	
Vitamine A		15 %
Vitamine C		51 %
Calcium		4 %
Fer		7 %
Vitamine D		0 %
Vitamine E		10 %

ÉCHANGE POUR DIABÉTIQUES

2 échanges de légumes
1/2 échange de matières grasses

2 c. à soupe	d'huile d'olive
500 ml (2 tasses)	de poireau (blanc et vert) haché
1	gros oignon haché
2	gousses d'ail hachées
250 ml (1 tasse)	de tiges de brocoli râpées
125 ml (1/2 tasse)	de céleri haché
275 ml (1 1/2 tasse)	de carottes râpées
625 ml (2 1/2 tasse)	de jus de légumes ou de tomate
1 c. à thé (à café)	de bouillon de poulet en poudre sans gras ni sel
1 c. à thé (à café)	de sauce Worcestershire
1/2 c. à thé (à café)	de poivre

- Chauffer l'huile dans une casserole épaisse. Faire suer le poireau, l'oignon et l'ail. Cuire 4 à 5 minutes. Ajouter les légumes, le jus de légumes ou de tomate et les assaisonnements.
- Faire cuire à feu moyen-doux 1 heure en brassant souvent. Servir sur des pâtes telles les spaghetti ou fettuccine.

Note Cette sauce est également délicieuse sur des tranches de pain de viande ou sur des steaks hachés maigres. Elle se congèle très bien.

Sauce à l'orange

4 PORTIONS

VALEUR NUTRITIVE PAR PORTION DE 5 C. À SOUPE		
	Teneur	% VQ
Calories	30	
Lipides	0,3 g	0 %
Saturés	0,1 g	0 %
+ Trans	0 g	
Polyinsaturés	0,1 g	
Oméga-6	0 g	
Oméga-3 (ALA)	0 g	
Oméga-3 (EPA+DHA)	0 g	
Monoinsaturés	0,1 g	
Cholestérol	0 mg	0 %
Sodium	11 mg	1 %
Potassium	95 mg	3 %
Glucides	6 g	2 %
Fibres alimentaires	0 g	1 %
Sucres	3 g	
Protéines	1 g	
Vitamine A		1 %
Vitamine C		29 %
Calcium		1 %
Fer		2 %
Vitamine D		0 %
Vitamine E		1 %

ÉCHANGE POUR DIABÉTIQUES

aucun

125 ml (1/2 tasse)	de bouillon de poulet maison (voir recette, p. 121) ou du commerce sans gras ni sel
125 ml (1/2 tasse)	de jus d'orange frais
1/2 c. à thé (à café)	de zeste d'orange
1/2 c. à thé (à café)	de marjolaine fraîche hachée
1/2 c. à thé (à café)	de thym frais haché
2 c. à thé (à café)	d'édulcorant hypocalorique
1 c. à soupe	de fécule de maïs
60 ml (1/4 de tasse)	d'eau

- Chauffer le bouillon de poulet et le jus d'orange. Mélanger la fécule de maïs et l'eau et les verser dans le bouillon chaud. Ajouter le zeste.
- Cuire sur feu doux jusqu'à épaississement tout en remuant. Assaisonner ensuite de marjolaine et de thym. Ajouter l'édulcorant.

Sauce tomate éclair

DONNE 625 ML (2 1/2 TASSES)

540 ml (19 oz)	de tomates en dés en conserve
2	gousses d'ail hachées
1	petit oignon haché
125 ml (1/2 tasse)	de carottes tranchées
80 ml (1/3 de tasse)	de céleri tranché
1/2 c. à thé (à café)	de thym
1/2 c. à thé (à café)	de sel
1 pincée	de poivre

- Passer les tomates et le jus au mélangeur. Verser dans une casserole. Ajouter l'ail, l'oignon, la carotte et le céleri. Cuire à feu doux jusqu'à tendreté. Passer de nouveau au mélangeur, assaisonner.

VALEUR NUTRITIVE PAR PORTION DE 125 ML (1/2 TASSE)

	Teneur	% VQ
Calories	35	
Lipides	0,2 g	0 %
Saturés	0 g	0 %
+ Trans	0 g	
Polyinsaturés	0,1 g	
Oméga-6	0,1 g	
Oméga-3 (ALA)	0 g	
Oméga-3 (EPA+DHA)	0 g	
Monoinsaturés	0 g	
Cholestérol	0 mg	0 %
Sodium	384 mg	16 %
Potassium	283 mg	9 %
Glucides	7 g	3 %
Fibres alimentaires	1,5 g	7 %
Sucres	5 g	
Protéines	1 g	
Vitamine A		9 %
Vitamine C		29 %
Calcium		5 %
Fer		10 %
Vitamine D		0 %
Vitamine E		9 %

ÉCHANGE POUR DIABÉTIQUES

1 échange de légumes

Sauce aux tomates maison

DONNE 1,5 LITRE (6 TASSES)

<table>
<tr><td>VALEUR NUTRITIVE
PAR PORTION DE
125 ML (1/2 TASSE)</td><td></td><td></td></tr>
<tr><td></td><td>Teneur</td><td>% VQ</td></tr>
<tr><td>Calories</td><td>45</td><td></td></tr>
<tr><td>Lipides</td><td>0,5 g</td><td>1 %</td></tr>
<tr><td>Saturés</td><td>0,1 g</td><td>0 %</td></tr>
<tr><td>+ Trans</td><td>0 g</td><td></td></tr>
<tr><td>Polyinsaturés</td><td>0,5 g</td><td></td></tr>
<tr><td>Oméga-6</td><td>0,2 g</td><td></td></tr>
<tr><td>Oméga-3 (ALA)</td><td>0 g</td><td></td></tr>
<tr><td>Oméga-3 (EPA+DHA)</td><td>0 g</td><td></td></tr>
<tr><td>Monoinsaturés</td><td>0 g</td><td></td></tr>
<tr><td>Cholestérol</td><td>0 mg</td><td>0 %</td></tr>
<tr><td>Sodium</td><td>126 mg</td><td>6 %</td></tr>
<tr><td>Potassium</td><td>432 mg</td><td>13 %</td></tr>
<tr><td>Glucides</td><td>9 g</td><td>4 %</td></tr>
<tr><td>Fibres alimentaires</td><td>2,5 g</td><td>10 %</td></tr>
<tr><td>Sucres</td><td>1 g</td><td></td></tr>
<tr><td>Protéines</td><td>2 g</td><td></td></tr>
<tr><td>Vitamine A</td><td></td><td>10 %</td></tr>
<tr><td>Vitamine C</td><td></td><td>34 %</td></tr>
<tr><td>Calcium</td><td></td><td>2 %</td></tr>
<tr><td>Fer</td><td></td><td>7 %</td></tr>
<tr><td>Vitamine D</td><td></td><td>0 %</td></tr>
<tr><td>Vitamine E</td><td></td><td>7 %</td></tr>
</table>

ÉCHANGE POUR DIABÉTIQUES

1 échange de légumes

2 kg (4 lb)	de tomates coupées grossièrement
2	gousses d'ail
250 ml (1 tasse)	d'oignons verts coupés grossièrement
1	carotte tranchée
2 branches	de céleri coupées grossièrement
1/4 de c. à thé (à café)	d'estragon
1/4 de c. à thé (à café)	de thym
1/2 c. à thé (à café)	de sarriette
1/2 c. à thé (à café)	de sel
1/4 de c. à thé (à café)	de poivre

- Enlever le pédoncule des tomates et les passer au robot culinaire avec l'ail, les oignons verts, la carotte et le céleri. Verser le tout dans une grande casserole. Ajouter l'estragon, le thym et la sarriette. Amener à ébullition à feu vif. Réduire la chaleur et laisser mijoter environ 2 heures ou jusqu'à ce que la sauce ait une belle consistance. Saler et poivrer.
- Passer la sauce au mélangeur environ 500 ml (2 tasses) à la fois. La verser dans des petits contenants d'environ 125 ml (1/2 tasse) et la conserver au congélateur. Elle se dégèle très rapidement au micro-ondes ou sur la cuisinière, à feu doux.

Notes La meilleure sauce tomate est celle que l'on cuisine soi-même à la maison au moment de la récolte. Elle est beaucoup moins salée que celle que l'on trouve dans le commerce. Elle est donc meilleure au goût et pour la santé.
On peut facilement doubler la recette si on le désire.

Trempette au fromage-yogourt

DONNE 180 ML (3/4 DE TASSE)

VALEUR NUTRITIVE PAR PORTION DE 1 C. À SOUPE		
	Teneur	% VQ
Calories	30	
Lipides	0,5 g	1 %
Saturés	0,1 g	0 %
+ Trans	0 g	
Polyinsaturés	0,2 g	
Oméga-6	0,2 g	
Oméga-3 (ALA)	0 g	
Oméga-3 (EPA+DHA)	0 g	
Monoinsaturés	0,1 g	
Cholestérol	1 mg	1 %
Sodium	99 mg	5 %
Potassium	111 mg	4 %
Glucides	4 g	2 %
Fibres alimentaires	0 g	1 %
Sucres	4 g	
Protéines	2 g	
Vitamine A		1 %
Vitamine C		2 %
Calcium		7 %
Fer		1 %
Vitamine D		2 %
Vitamine E		2 %

ÉCHANGE POUR DIABÉTIQUES
aucun

Une recette de mon fromage au yogourt maison assaisonné à la ciboulette ou au piment rouge (voir recette p. 116).

- Ce fromage peut devenir une excellent trempette si l'on y ajoute 1 c. à soupe de sauce à salade légère sans cholestérol et 2 c. à soupe de sauce Chili.
- Bien brasser pour obtenir une consistance crémeuse.
- Servir avec des crudités, bâtonnets de carottes, de céleri, petits bouquets de brocoli et de chou-fleur, têtes de champignons.

227
Salades et vinaigrettes

Salade de céleri-rave

4 PORTIONS

½	céleri-rave
1 c. à soupe	de jus de lime
1	carotte moyenne râpée
1	pomme rouge non pelée en dés
2 c. à soupe	de raisins secs

POUR LA VINAIGRETTE:

3 c. à soupe	de mayonnaise légère
2 c. à soupe	de yogourt à 0,1 % M.G.
½ c. à soupe	de moutarde de Dijon
½ c. à thé (à café)	de sel
½ c. à thé (à café)	de graine de pavot
	Poivre au goût

- Peler le céleri-rave et le râper finement. Ajouter le jus de lime, bien mélanger. Ajouter la carotte râpée, la pomme en dés et les raisins secs.
- Mélanger les ingrédients de la vinaigrette et l'incorporer au céleri-rave. Bien mélanger. Réfrigérer quelques heures avant de servir.

VALEUR NUTRITIVE PAR PORTION

	Teneur	% VQ
Calories	100	
Lipides	4 g	6 %
Saturés	0,5 g	3 %
+ Trans	0 g	
Polyinsaturés	2,5 g	
Oméga-6	2,2 g	
Oméga-3 (ALA)	0,2 g	
Oméga-3 (EPA+DHA)	0 g	
Monoinsaturés	1 g	
Cholestérol	1 mg	0 %
Sodium	465 mg	21 %
Potassium	294 mg	8 %
Glucides	15 g	2 %
Fibres alimentaires	2 g	7 %
Sucres	9 g	
Protéines	2 g	
Vitamine A		13 %
Vitamine C		13 %
Calcium		5 %
Fer		5 %
Vitamine D		1 %
Vitamine E		11 %

ÉCHANGE POUR DIABÉTIQUES

1 échange de légumes
½ échange de fruits
½ échange de viandes et substituts

Salade de concombre mariné

8 PORTIONS

VALEUR NUTRITIVE PAR PORTION		
	Teneur	% VQ
Calories	80	
Lipides	7 g	11 %
Saturés	1 g	5 %
+ Trans	0 g	
Polyinsaturés	1 g	
Oméga-6	0,7 g	
Oméga-3 (ALA)	0,1 g	
Oméga-3 (EPA+DHA)	0 g	
Monoinsaturés	5 g	
Cholestérol	0 mg	0 %
Sodium	167 mg	7 %
Potassium	141 mg	5 %
Glucides	5 g	2 %
Fibres alimentaires	1 g	4 %
Sucres	3 g	
Protéines	0,5 g	
Vitamine A		1 %
Vitamine C		5 %
Calcium		2 %
Fer		3 %
Vitamine D		0 %
Vitamine E		11 %

ÉCHANGE POUR DIABÉTIQUES

1 échange de légumes
1/2 échange de matières grasses

1	concombre anglais
2	branches de céleri
1	oignon rouge

POUR LA VINAIGRETTE:

160 ml (2/3 de tasse)	de vinaigre de vin blanc
60 ml (1/4 de tasse)	d'huile d'olive
2 c. à soupe	d'édulcorant hypocalorique
1 c. à thé (à café)	de basilic
1 c. à thé (à café)	de moutarde de Dijon
1/2 c. à thé (à café)	de sel
8	grains de poivre
1 gousse	d'ail hachée finement

- Préparer la vinaigrette. Dans un saladier, verser le vinaigre, l'huile, l'édulcorant, le basilic, la moutarde, le sel, les grains de poivre et l'ail. Mélanger.
- Couper le concombre non pelé en tranches. Tailler le céleri en biseau et l'oignon en tranches défaites en rondelles.
- Mélanger les légumes et la vinaigrette. Couvrir et laisser mariner quelques heures. Retirer les grains de poivre, égoutter et servir.

Salade de couscous

4 PORTIONS

180 ml (3/4 de tasse)	de jus d'orange frais
125 ml (1/2 tasse)	de couscous
60 ml (1/4 de tasse)	de raisins secs
125 ml (1/2 tasse)	de céleri haché finement
2	oignons verts hachés
80 ml (1/3 de tasse)	de persil haché

POUR LA VINAIGRETTE:

1 c. à soupe	de jus de citron
1 c. à soupe	d'eau
1 c. à soupe	d'huile d'olive
1/4 de c. à thé (à café)	de cumin
1/4 de c. à thé (à café)	de curry
1/4 de c. à thé (à café)	de sel
	Poivre au goût

- Porter le jus d'orange à ébullition. Ajouter le couscous. Couvrir et retirer du feu. Laisser reposer pendant 5 minutes.
- Remuer et émietter le couscous à la fourchette. Ajouter les raisins, le céleri, les oignons verts et le persil.
- Dans un petit bol, mélanger au fouet les ingrédients de la vinaigrette. Verser sur le couscous et bien mélanger le tout.

Note Cette salade se sert chaude ou froide.

Salade d'épinards et pamplemousses

4 PORTIONS

VALEUR NUTRITIVE PAR PORTION

	Teneur	% VQ
Calories	170	
Lipides	10,5 g	17 %
Saturés	1,5 g	8 %
+ Trans	0 g	
Polyinsaturés	1,2 g	
Oméga-6	1 g	
Oméga-3 (ALA)	0,2 g	
Oméga-3 (EPA+DHA)	0 g	
Monoinsaturés	7,5 g	
Cholestérol	0 mg	0 %
Sodium	188 mg	8 %
Potassium	674 mg	20 %
Glucides	16 g	6 %
Fibres alimentaires	3,5 g	15 %
Sucres	2 g	
Protéines	4 g	
Vitamine A		42 %
Vitamine C		119 %
Calcium		10 %
Fer		19 %
Vitamine D		0 %
Vitamine E		33 %

ÉCHANGE POUR DIABÉTIQUES

2 échanges de matières grasses
1 échange de légumes
1/2 échange de fruits

POUR LA SALADE:

1 sac	d'épinards frais
2	pamplemousses
1	oignon rouge tranché.

POUR LA VINAIGRETTE:

3 c. à soupe	d'huile d'olive
1 c. à soupe	de vinaigre de framboise
1	gousse d'ail hachée
1/4 de c. à thé (à café)	de sel
	Poivre au goût

- Laver et parer les épinards. Les placer dans un saladier.
- Peler à vif et défaire en quartiers les pamplemousses, c'est-à-dire enlever complètement la peau blanche entre la chair et l'écorce du fruit et retirer les segments entre les membranes.
- Incorporer aux épinards et ajouter l'oignon.
- Mélanger les ingrédients de la vinaigrette et la verser sur la salade. Bien mélanger. Servir.

Salade de gala

8 PORTIONS

POUR LA SALADE:

398 ml (14 oz)	de cœurs de palmier en conserve
398 ml (14 oz)	de cœurs d'artichauts en conserve
250 ml (1 tasse)	de petits champignons entiers frais
1	avocat (facultatif)
1	oignon rouge en rondelles

POUR LA VINAIGRETTE:

4	gousses d'ail pressées
60 ml (¼ de tasse)	d'huile d'olive
2 c. à soupe	de vinaigre de framboise
2 c. à soupe	de jus de citron ou de vin blanc
¼ de c. à thé (à café)	de sel
	Poivre au goût

- Bien rincer et égoutter les cœurs de palmier et d'artichauts. Bien nettoyer les petits champignons entiers. Couper les cœurs de palmier et d'artichauts en bouchées. Peler et trancher l'avocat en petites sections.
- Mettre tous ces ingrédients dans un saladier. Arroser de la vinaigrette et remuer délicatement.
- Bien refroidir. Servir sur des feuilles de laitue, décorer de rondelles d'oignon rouge.

Notes Imprégnés de leur délicieuse vinaigrette, les restes de cette salade seront aussi bons le lendemain.

Cette salade est aussi délicieuse servie comme entrée sur une feuille de laitue.

Salade quatre saisons

6 PORTIONS

POUR LA SALADE:

250 ml (1 tasse)	de feuilles d'épinards
1	laitue Boston
1	petite laitue romaine
½	gousse d'ail
80 ml (⅓ de tasse)	de noix de Grenoble en morceaux pour garnir

POUR LA VINAIGRETTE:

1	gousse d'ail hachée finement
3 c. à soupe	de vinaigre de vin rouge
125 ml (½ tasse)	d'huile de noix de Grenoble
2 c. à soupe	de tomates séchées, hachées
¼ de c. à thé (à café)	de sel
	Poivre au goût

- Enlever les tiges d'épinards. Laver soigneusement les feuilles d'épinards et les laitues, puis les essorer.
- Frotter les parois d'un saladier avec la demi-gousse d'ail, y déposer les laitues et les épinards déchiquetés à la main.
- Dans un petit bol, mélanger les ingrédients de la vinaigrette. La réfrigérer pendant quelques heures pour laisser les tomates séchées s'hydrater légèrement.
  Au moment de servir, verser la vinaigrette sur les laitues et garnir de morceaux de noix de Grenoble.

Note L'huile de noix de Grenoble se vend dans les supermarchés et dans les magasins de produits naturels. D'un goût exquis, elle parfume agréablement la salade.

Salade rafraîchissante

4 PORTIONS

VALEUR NUTRITIVE PAR PORTION		
	Teneur	% VQ
Calories	165	
Lipides	10,5 g	17 %
Saturés	1,5 g	8 %
+ Trans	0 g	
Polyinsaturés	1,2 g	
Oméga-6	1 g	
Oméga-3 (ALA)	0,1 g	
Oméga-3 (EPA+DHA)	0 g	
Monoinsaturés	7,5 g	
Cholestérol	0 mg	0 %
Sodium	133 mg	6 %
Potassium	331 mg	10 %
Glucides	16 g	6 %
Fibres alimentaires	2,5 g	11 %
Sucres	12 g	
Protéines	2 g	
Vitamine A		11 %
Vitamine C		40 %
Calcium		5 %
Fer		8 %
Vitamine D		4 %
Vitamine E		18 %

ÉCHANGE POUR DIABÉTIQUES

2 échanges de matières grasses
1 échange de fruits

POUR LA SALADE:

1	laitue Boston déchiquetée
125 ml (½ tasse)	de champignons frais tranchés
1	pomme coupée en dés
	Les segments d'une orange
1	grappe de raisin rouge
	Persil frais pour garnir

POUR LA VINAIGRETTE:

3 c. à soupe	d'huile d'olive
1 c. à soupe	de vinaigre de fraise ou de framboise
½ à thé (à café)	de moutarde de Dijon
¼ de c. à thé (à café)	de sel
1 pincée	de poivre
2	gousses d'ail hachées
1	sachet d'édulcorant hypocalorique

- Dans un saladier, mélanger tous les ingrédients de la vinaigrette.
- Ajouter ensuite les légumes et les fruits. Mélanger et servir immédiatement.

Salade-repas au poulet
4 PORTIONS

	VALEUR NUTRITIVE PAR PORTION	
	Teneur	% VQ
Calories	390	
Lipides	22 g	35 %
Saturés	5,5 g	29 %
+ Trans	0 g	
Polyinsaturés	4 g	
Oméga-6	3,6 g	
Oméga-3 (ALA)	0,3 g	
Oméga-3 (EPA+DHA)	0 g	
Monoinsaturés	11,5 g	
Cholestérol	82 mg	28 %
Sodium	702 mg	30 %
Potassium	770 mg	22 %
Glucides	18 g	6 %
Fibres alimentaires	5 g	21 %
Sucres	5 g	
Protéines	31 g	
Vitamine A		10 %
Vitamine C		75 %
Calcium		14 %
Fer		13 %
Vitamine D		5 %
Vitamine E		35 %

ÉCHANGE POUR DIABÉTIQUES

1 échange de légumes
4 échanges de viandes et substituts
6 échanges de matières grasses

500 ml (2 tasses)	de blancs de poulet cuits, en dés
1	échalote tranchée
2 branches	de céleri tranchées finement
1	avocat bien mûr taillé en dés
1/2	poivron rouge en dés
125 ml (1/2 tasse)	de feta émiettée
60 ml (1/4 de tasse)	de pacanes hachées grossièrement
6	olives noires tranchées
	Sauce crémeuse au curry (voir recette, p. 238)
	Feuilles de laitue Boston pour garnir

- Dans un saladier, mélanger tous les ingrédients, sauf la laitue. Incorporer délicatement la sauce crémeuse au curry. Servir la salade dans 4 assiettes garnies d'une belle feuille de laitue Boston.

Salade de tomates

6 PORTIONS

5	belles tomates rouges
3	gousses d'ail
2	oignons verts
1	échalote
½ c. à thé (à café)	d'origan séché ou 1 c. à soupe de basilic frais
1 c. à thé (à café)	de persil séché
1 c. à soupe	de vinaigre de vin rouge
½ c. à thé (à café)	de moutarde de Dijon
3 c. à soupe	d'huile d'olive
½ c. à thé (à café)	de sel
	Poivre au goût
	Feuilles de laitue pour garnir

- Couper les tomates en petits quartiers ou en tranches fines. Hacher l'ail, les oignons verts et l'échalote. Les ajouter aux tomates avec l'origan et le persil.
- Mélanger la moutarde et le vinaigre, ajouter l'huile, le sel et le poivre. Verser sur les tomates.
- Servir comme entrée sur une feuille de laitue ou comme composante d'un buffet froid.

Vinaigrette à l'ail

DONNE 180 ML ($^3/4$ DE TASSE)

VALEUR NUTRITIVE PAR PORTION		
	Teneur	% VQ
Calories	90	
Lipides	9,5 g	15 %
Saturés	1,5 g	7 %
+ Trans	0 g	
Polyinsaturés	1 g	
Oméga-6	0,9 g	
Oméga-3 (ALA)	0,1 g	
Oméga-3 (EPA+DHA)	0 g	
Monoinsaturés	7 g	
Cholestérol	0 mg	0 %
Sodium	46 mg	2 %
Potassium	9 mg	1 %
Glucides	1 g	1 %
Fibres alimentaires	0 g	1 %
Sucres	1 g	
Protéines	0,5 g	
Vitamine A		1 %
Vitamine C		3 %
Calcium		1 %
Fer		1 %
Vitamine D		0 %
Vitamine E		14 %

ÉCHANGE POUR DIABÉTIQUES

2 échanges de matières grasses

125 ml ($^1/2$ tasse)	d'huile d'olive
2 c. à soupe	de jus de citron
4 c. à thé (à café)	de vinaigre de framboise
1 c. à thé (à café)	de moutarde de Dijon
2	gousses d'ail
$^1/2$ c. à thé (à café)	d'origan
$^1/4$ de c. à thé (à café)	de sel
	Poivre au goût

- Bien mélanger tous les ingrédients. Les conserver au réfrigérateur dans un bocal hermétiquement fermé. Bien agiter au moment de s'en servir.

Sauce crémeuse au curry

DONNE 180 ML (3/4 DE TASSE)

VALEUR NUTRITIVE PAR PORTION DE 1 C. À SOUPE		
	Teneur	% VQ
Calories	30	
Lipides	2,5 g	4 %
Saturés	0,5 g	2 %
+ Trans	0 g	
Polyinsaturés	1,5 g	
Oméga-6	1,2 g	
Oméga-3 (ALA)	0,1 g	
Oméga-3 (EPA+DHA)	0 g	
Monoinsaturés	0,5 g	
Cholestérol	3 mg	1 %
Sodium	162 mg	7 %
Potassium	23 mg	1 %
Glucides	2 g	1 %
Fibres alimentaires	0 g	1 %
Sucres	1 g	
Protéines	0 g	
Vitamine A		1 %
Vitamine C		1 %
Calcium		2 %
Fer		1 %
Vitamine D		1 %
Vitamine E		3 %
Vitamine K		3 %

ÉCHANGE POUR DIABÉTIQUES

1/2 échange de matières grasses

80 ml (1/3 de tasse)	de mayonnaise légère
80 ml (1/3 de tasse)	de yogourt nature à 0,1 % M.G.
1 c. à soupe	de jus de lime
1 c. à thé (à café)	de basilic frais haché
1 c. à thé (à café)	de curry
1/2 c. à thé (à café)	de sel
	Poivre au goût

- Mélanger tous les ingrédients et conserver la sauce au réfrigérateur dans un récipient bien fermé.

Vinaigrette à l'estragon

DONNE 330 ML (1 $^1/_2$ TASSE)

VALEUR NUTRITIVE PAR PORTION DE 1 C. À SOUPE		
	Teneur	% VQ
Calories	95	
Lipides	10 g	16 %
Saturés	1,5 g	8 %
+ Trans	0 g	
Polyinsaturés	1 g	
Oméga-6	1 g	
Oméga-3 (ALA)	0,1 g	
Oméga-3 (EPA+DHA)	0 g	
Monoinsaturés	7,5 g	
Cholestérol	0 mg	0 %
Sodium	55 mg	3 %
Potassium	7 mg	1 %
Glucides	0,5 g	1 %
Fibres alimentaires	0 g	1 %
Sucres	1 g	
Protéines	0 g	
Vitamine A		1 %
Vitamine C		1 %
Calcium		1 %
Fer		1 %
Vitamine D		0 %
Vitamine E		15 %

ÉCHANGE POUR DIABÉTIQUES

2 échanges de matières grasses

250 ml (1 tasse)	d'huile d'olive
60 ml ($^1/_4$ de tasse)	de vinaigre d'estragon
$^1/_2$ c. à thé (à café)	de moutarde sèche
$^1/_2$ c. à thé (à café)	de sel
1 sachet	d'édulcorant hypocalorique
1	gousse d'ail écrasée
2 c. à soupe	de ciboulette hachée
1 c. à thé (à café)	de persil haché
$^1/_2$ c. à thé (à café)	d'estragon

- Mêler tous les ingrédients dans un bocal fermant hermétiquement. Bien agiter au moment de servir.
- Conserver au réfrigérateur.

Vinaigrette italienne

DONNE 250 ML (1 TASSE)

60 ml (¼ de tasse)	de vinaigre de vin blanc
1 c. à thé (à café)	de moutarde de Dijon
180 ml (¾ de tasse)	d'huile d'olive
2	gousses d'ail émincées
1 c. à thé (à café)	de persil haché
1 c. à thé (à café)	d'origan
¼ de c. à thé (à café)	de sel
1 pincée	de poivre
⅛ de c. à thé (à café)	de thym
¼ de c. à thé (à café)	de paprika

- Mélanger le vinaigre, la moutarde et l'huile en fouettant bien. Ajouter le reste des ingrédients et bien mélanger.
- Conserver dans un bocal bien fermé au réfrigérateur. Bien mélanger avant de servir.

Note Elle est meilleure si elle est préparée 12 à 24 heures à l'avance.

Vinaigrette rosée

DONNE 300 ML (1 1/4 TASSE)

	Teneur	% VQ
VALEUR NUTRITIVE PAR PORTION DE 1 C. À SOUPE		
Calories	25	
Lipides	2,5 g	4 %
Saturés	0,3 g	2 %
+ Trans	0 g	
Polyinsaturés	0,3 g	
Oméga-6	0,2 g	
Oméga-3 (ALA)	0 g	
Oméga-3 (EPA+DHA)	0 g	
Monoinsaturés	2 g	
Cholestérol	0 mg	0 %
Sodium	1 mg	1 %
Potassium	16 mg	1 %
Glucides	1 g	1 %
Fibres alimentaires	0 g	1 %
Sucres	1 g	
Protéines	0 g	
Vitamine A		1 %
Vitamine C		1 %
Calcium		1 %
Fer		1 %
Vitamine D		0 %
Vitamine E		4 %

ÉCHANGE POUR DIABÉTIQUES

2 échanges de matières grasses

250 ml (1 tasse)	de vinaigre de fraise, de framboise ou de vin rouge
60 ml (1/4 de tasse)	d'huile d'olive
3	gousses d'ail écrasées et hachées finement
1 c. à soupe	de ciboulette hachée
1 c. à thé (à café)	de fines herbes
3	sachets d'édulcorant hypocalorique

- Bien mélanger tous les ingrédients et mélanger à nouveau au moment de servir.

Notes Délicieuse sur une salade verte.

Conserver au réfrigérateur.

243

Fruits

Bonbons aux fruits maison
DONNE 24 BONBONS

VALEUR NUTRITIVE PAR PORTION DE 3 BONBONS		
	Teneur	% VQ
Calories	80	
Lipides	2 g	4 %
Saturés	1,7 g	9 %
+ Trans	0 g	
Polyinsaturés	0 g	
Oméga-6	0 g	
Oméga-3 (ALA)	0 g	
Oméga-3 (EPA+DHA)	0 g	
Monoinsaturés	0,1 g	
Cholestérol	0 mg	0 %
Sodium	3 mg	1 %
Potassium	194 mg	6 %
Glucides	16,5 g	6 %
Fibres alimentaires	2 g	9 %
Sucres	13 g	
Protéines	1 g	
Vitamine A		1 %
Vitamine C		3 %
Calcium		2 %
Fer		4 %
Vitamine D		0 %
Vitamine E		1 %

ÉCHANGE POUR DIABÉTIQUES
1 échange de fruits

125 ml (1/2 tasse)	de pruneaux sans noyaux
125 ml (1/2 tasse)	de dattes dénoyautées
125 ml (1/2 tasse)	de raisins secs
1 c. à soupe	de jus de citron
60 ml (1/4 de tasse)	de noix de coco non sucrée râpée finement ou de miettes de biscuits

- Passer les pruneaux, les dattes et les raisins secs au hachoir. Ajouter le jus de citron, bien mélanger.
- Façonner en petites boules d'environ 2,5 cm (1 po) de diamètre et les rouler dans la noix de coco ou les miettes de biscuits. Les conserver dans une boîte bien couverte au réfrigérateur.

Note Voici une petite gâterie «santé» qui ne contient ni gras ni sucre ajouté. Par contre, elle est riche en fibres, donc excellente pour l'intestin puisque les fibres aident à prévenir la constipation. Mais attention, comme toute bonne chose, il ne faut pas en abuser!

Confiture de fraises exquise

DONNE 3 BOCAUX DE 250 ML (1 TASSE)

1 litre (4 tasses)	de fraises fraîches ou surgelées en morceaux
2 c. à soupe	de jus de citron
125 ml (½ tasse)	de jus d'orange frais
1 sachet	de poudre pour gelée hypocalorique aux fraises
80 ml (⅓ de tasse)	d'édulcorant hypocalorique
	Quelques gouttes de colorant végétal rouge

- Porter à vive ébullition les fraises, le jus de citron et le jus d'orange. Retirer du feu et ajouter la poudre pour gelée. Mélanger jusqu'à complète dissolution.
- Faire bouillir à nouveau et cuire encore pendant 1 minute.
- Retirer du feu. Ajouter l'édulcorant et le colorant. Bien mélanger.

Note Cette confiture se conserve pendant 2 semaines au réfrigérateur.

VALEUR NUTRITIVE
PAR PORTION DE 1 C. À SOUPE

	Teneur	% VQ
Calories	5	
Lipides	0 g	1 %
Saturés	0 g	1 %
+ Trans	0 g	
Polyinsaturés	0 g	
Oméga-6	0 g	
Oméga-3 (ALA)	0 g	
Oméga-3 (EPA+DHA)	0 g	
Monoinsaturés	0 g	
Cholestérol	0 mg	0 %
Sodium	1 mg	1 %
Potassium	26 mg	1 %
Glucides	1 g	1 %
Fibres alimentaires	0,5 g	2 %
Sucres	1 g	
Protéines	0 g	
Vitamine A		1 %
Vitamine C		16 %
Calcium		1 %
Fer		1 %
Vitamine D		0 %
Vitamine E		1 %

ÉCHANGE POUR DIABÉTIQUES

aucun

Coulis de framboises

DONNE 300 ML (1 1/2 TASSE)

	300 g (10 oz)	de framboises surgelées non sucrées
	4 c. à thé (à café)	d'édulcorant hypocalorique
	1 c. à soupe	de Grand Marnier ou de Cointreau

- Réduire les framboises en purée au mélangeur ou au robot culinaire. Les passer au tamis pour en enlever les graines.
- Ajouter l'édulcorant, le Grand Marnier ou le Cointreau. Réfrigérer.

VALEUR NUTRITIVE
PAR PORTION DE 1 C. À SOUPE

	Teneur	% VQ
Calories	10	
Lipides	0 g	0 %
Saturés	0 g	0 %
+ Trans	0 g	
Polyinsaturés	0 g	
Oméga-6	0 g	
Oméga-3 (ALA)	0 g	
Oméga-3 (EPA+DHA)	0 g	
Monoinsaturés	0 g	
Cholestérol	0 mg	0 %
Sodium	1 mg	1 %
Potassium	23 mg	1 %
Glucides	2 g	1 %
Fibres alimentaires	1 g	4 %
Sucres	2 g	
Protéines	0 g	
Vitamine A		1 %
Vitamine C		7 %
Calcium		1 %
Fer		1 %
Vitamine D		0 %
Vitamine E		2 %

ÉCHANGE POUR DIABÉTIQUES

aucun

Jus de fraises pétillant

8 PORTIONS

	Teneur	% VQ
VALEUR NUTRITIVE PAR PORTION		
Calories	50	
Lipides	0 g	0 %
Saturés	0 g	0 %
+ Trans	0 g	
Polyinsaturés	0 g	
Oméga-6	0 g	
Oméga-3 (ALA)	0 g	
Oméga-3 (EPA+DHA)	0 g	
Monoinsaturés	0 g	
Cholestérol	0 mg	0 %
Sodium	17 mg	1 %
Potassium	217 mg	7 %
Glucides	12 g	5 %
Fibres alimentaires	1 g	5 %
Sucres	9 g	
Protéines	1 g	
Vitamine A		1 %
Vitamine C		94 %
Calcium		2 %
Fer		5 %
Vitamine D		0 %
Vitamine E		2 %

ÉCHANGE POUR DIABÉTIQUES

1 échange de fruits

450 g (15 oz)	de fraises non sucrés surgelées, décongelées
3 gouttes	de colorant alimentaire rouge
500 ml (2 tasses)	de jus d'orange frais
750 ml (3 tasses)	de 7Up ou de Sprite sans sucre
	Glaçons contenant un zeste d'orange pour servir

- Broyer les fraises au mélangeur ou au robot culinaire jusqu'à ce qu'elles deviennent liquides. Ajouter le colorant, puis le jus d'orange. Mélanger et laisser refroidir.
- Au moment de servir, ajouter la boisson gazeuse. Servir dans des verres à vin avec un glaçon renfermant un zeste d'orange.

Note C'est un apéritif tout indiqué pour le brunch de Pâques ou la fête des Mères.

248

Marmelade printanière

DONNE 5 POTS DE 250 ML (1 TASSE)

1,5 litre (6 tasses)	de rhubarbe fraîche
540 ml (19 oz)	d'ananas broyés dans leur jus, en conserve
1 sachet	de poudre pour gelée sans sucre aux fraises
125 ml (½ tasse)	d'édulcorant hypocalorique

- Laver et hacher la rhubarbe. Dans une grande casserole, mélanger la rhubarbe et l'ananas avec son jus. Amener à ébullition et faire cuire 15 minutes en brassant quelques fois.
- Retirer du feu et ajouter la poudre pour gelée et l'édulcorant. Bien mélanger. Laisser tiédir et verser dans des bocaux. Laisser refroidir complètement et congeler.

Note Comme toutes les confitures sans sucre, le seul moyen de s'en faire des provisions pour l'année, c'est de les garder congelées. Elles se conservent ainsi parfaitement.

VALEUR NUTRITIVE PAR PORTION DE 1 C. À SOUPE

	Teneur	% VQ
Calories	5	
Lipides	0 g	1 %
Saturés	0 g	1 %
+ Trans	0 g	
Polyinsaturés	0 g	
Oméga-6	0 g	
Oméga-3 (ALA)	0 g	
Oméga-3 (EPA+DHA)	0 g	
Monoinsaturés	0 g	
Cholestérol	0 mg	0 %
Sodium	1 mg	1 %
Potassium	35 mg	1 %
Glucides	1 g	1 %
Fibres alimentaires	0 g	1 %
Sucres	1 g	
Protéines	0 g	
Vitamine A		1 %
Vitamine C		3 %
Calcium		1 %
Fer		1 %
Vitamine D		0 %
Vitamine E		1 %

ÉCHANGE POUR DIABÉTIQUES

½ échange de fruits

Pommes farcies au four

4 PORTIONS

(CUISSON AU MICRO-ONDES OU AU FOUR)

4	pommes à cuire
2 c. à soupe	de raisins secs
3 c. à soupe	de dattes hachées
1 c. à soupe	de noix de Grenoble hachées
	jus d'une orange (de deux si cuisson au four)

Cuisson au micro-ondes:

- Mélanger raisins, dattes et noix.
- Enlever le cœur des pommes et les peler en partant du haut jusqu'à la moitié.
- Les placer dans un plat allant au micro-ondes, la partie pelée vers le haut. Farcir chaque pomme avec un mélange de raisins, dattes et noix.
- Arroser avec le jus d'orange. Cuire à découvert 4 à 5 minutes à haute intensité (10). À mi-cuisson, arroser les pommes avec le jus de cuisson.
  Temps de repos: 3 minutes. Servir chaud ou froid.

Cuisson au four:

- Chauffer le four à 190 °C (375 °F).
- Préparer les pommes comme pour la cuisson au micro-ondes. Les placer dans un plat peu profond allant au four, les farcir avec le mélange raisins, dattes et noix et les arroser avec le jus de deux oranges additionné d'eau, si nécessaire, pour faire 125 ml (1/2 tasse) de liquide.
- Cuire au four à découvert 30 minutes. Arroser les pommes avec la sauce à mi-cuisson.

Note Cette recette est une très bonne source de fibres.

VALEUR NUTRITIVE PAR PORTION D'UNE POMME

	Teneur	% VQ
Calories	125	
Lipides	1 g	3 %
Saturés	0 g	1 %
+ Trans	0 g	
Polyinsaturés	1 g	
Oméga-6	0,8 g	
Oméga-3 (ALA)	0,2 g	
Oméga-3 (EPA+DHA)	0 g	
Monoinsaturés	0 g	
Cholestérol	0 mg	0 %
Sodium	2 mg	1 %
Potassium	271 mg	8 %
Glucides	29 g	10 %
Fibres alimentaires	3 g	13 %
Sucres	23 g	
Protéines	1 g	
Vitamine A		1 %
Vitamine C		28 %
Calcium		2 %
Fer		4 %
Vitamine D		0 %
Vitamine E		2 %

ÉCHANGE POUR DIABÉTIQUES

1 échange de fruits
1/2 échange de matières grasses

Relish aux canneberges et à l'orange

DONNE 2 POTS DE 250 ML (1 TASSE)

500 ml (2 tasses)	de canneberges fraîches ou surgelées
1	orange bien lavée
60 ml (¼ de tasse)	de noix de Grenoble hachées
80 ml (⅓ de tasse)	de raisins de Corinthe
160 ml (⅔ de tasse)	d'édulcorant hypocalorique

- Passer les canneberges surgelées au hachoir. De cette façon, elles n'éclaboussent pas. Passer ensuite l'orange avec sa pelure. Bien mélanger le tout. Ajouter les noix, les raisins et l'édulcorant. Brasser. Couvrir et réfrigérer au moins 24 heures avant de déguster avec de la dinde ou du poulet.

Note Cette relish se conserve 1 semaine au réfrigérateur ou plusieurs mois au congélateur dans des contenants fermés hermétiquement.

VALEUR NUTRITIVE PAR PORTION DE 1 C. À SOUPE

	Teneur	% VQ
Calories	15	
Lipides	1 g	1 %
Saturés	0 g	1 %
+ Trans	0 g	
Polyinsaturés	0,5 g	
Oméga-6	0,3 g	
Oméga-3 (ALA)	0,1 g	
Oméga-3 (EPA+DHA)	0 g	
Monoinsaturés	0 g	
Cholestérol	0 mg	0 %
Sodium	1 mg	1 %
Potassium	32 mg	1 %
Glucides	3 g	1 %
Fibres alimentaires	0,5 g	3 %
Sucres	1 g	
Protéines	0 g	
Vitamine A		1 %
Vitamine C		8 %
Calcium		1 %
Fer		1 %
Vitamine D		0 %
Vitamine E		1 %

ÉCHANGE POUR DIABÉTIQUES

½ échange de fruits

251
Desserts

Carrés aux fraises

9 PORTIONS

VALEUR NUTRITIVE PAR PORTION

	Teneur	% VQ
Calories	180	
Lipides	9 g	15 %
Saturés	1,5 g	9 %
+ Trans	0,1 g	
Polyinsaturés	2,5 g	
Oméga-6	1,8 g	
Oméga-3 (ALA)	0,7 g	
Oméga-3 (EPA+DHA)	0 g	
Monoinsaturés	4,5 g	
Cholestérol	2 mg	1 %
Sodium	112 mg	5 %
Potassium	203 mg	4 %
Glucides	20 g	7 %
Fibres alimentaires	2 g	8 %
Sucres	12 g	
Protéines	5 g	
Vitamine A		1 %
Vitamine C		58 %
Calcium		7 %
Fer		6 %
Vitamine D		2 %
Vitamine E		13 %

ÉCHANGE POUR DIABÉTIQUES

1/2 échange de fruits
1/2 échange de féculents
1 échange de matières grasses

1 croûte	de miettes de biscuits (Graham) (voir recette, p. 262)
2 sachets	de gélatine neutre
80 ml (1/3 de tasse)	d'eau froide
500 ml (2 tasses)	de fraises fraîches hachées
125 ml (1/2 tasse)	d'édulcorant hypocalorique
250 ml (1 tasse)	de yogourt nature à 0,1 % M.G.
1 c. à soupe	de kirsch (facultatif)
1 c. à soupe	de jus de citron
2	blancs d'œufs
60 ml (1/4 de tasse)	de grains de chocolat
9	belles fraises avec queue pour garnir

- Préparer la croûte de miettes de biscuits et la presser dans un moule carré de 22,5 cm (9 po) de côté. Réfrigérer.
- Dans un petit bol, faire gonfler la gélatine dans l'eau froide pendant 3 minutes.
- Entre-temps, réduire les fraises en purée mousseuse au robot culinaire ou au mélangeur.
- Faire fondre la gélatine au micro-ondes pendant 30 secondes à haute intensité (10) ou la placer dans un bol dans un récipient d'eau bouillante. Remuer jusqu'à dissolution. Verser la gélatine dans la purée de fraises. Ajouter ensuite l'édulcorant, le yogourt, le kirsch et le jus de citron. Laisser refroidir jusqu'à ce que ce soit partiellement pris.
- Battre les blancs d'œufs en pics fermes. Les ajouter aux fraises en purée en soulevant délicatement le mélange. Verser celui-ci sur la croûte.
- Faire fondre le chocolat au micro-ondes à faible intensité (3). Remuer toutes les minutes jusqu'à ce qu'il soit fondu. Tremper le fond de chaque grosse fraise dans le chocolat et en décorer la crème aux fraises.
- Réfrigérer pendant quelques heures ou jusqu'à ce que la crème soit ferme. Au moment de servir, couper en 9 carrés.

Note On peut aussi verser la préparation aux fraises dans un joli moule à bavarois. Démouler au moment de servir et garnir des fraises trempées dans le chocolat.

Charlotte aux fruits

8 PORTIONS

1 sachet	de gélatine neutre
60 ml (¹/₄ de tasse)	d'eau froide
125 ml (¹/₂ tasse)	de jus d'ananas non sucré
125 ml (¹/₂ tasse)	d'édulcorant hypocalorique
¹/₄ de c. à thé (à café)	de sel
2 c. à soupe	de jus de citron
250 ml (1 tasse)	de jus d'orange frais
2	blancs d'œufs
	Morceaux d'ananas, cerises au marasquin et feuilles de menthe fraîches pour garnir

- Placer un petit bol et les batteurs du malaxeur dans le congélateur pour qu'ils soient bien froids ou les refroidir rapidement en les mettant dans de l'eau froide et de la glace pendant 10 minutes. Égoutter. Faire ramollir la gélatine dans l'eau froide. Chauffer le jus d'ananas et y faire dissoudre la gélatine. Ajouter l'édulcorant et le sel, les jus de citron et d'orange. Refroidir jusqu'à ce que ce soit partiellement pris.
- Battre les blancs d'œufs en neige ferme.
- Battre au malaxeur la préparation de gélatine aux fruits jusqu'à ce que ce soit léger et mousseux. Y ajouter délicatement, en pliant avec une spatule, les blancs d'œufs battus et la garniture fouettée.
- Verser dans un joli plat à charlotte et garnir de morceaux d'ananas, de cerises au marasquin et de petites feuilles de menthe fraîche.

Crème pâtissière

500 ML (2 TASSES)

(CUISSON AU MICRO-ONDES OU SUR LA CUISINIÈRE)

VALEUR NUTRITIVE PAR PORTION DE 125 ML (½ TASSE)		
	Teneur	% VQ
Calories	105	
Lipides	3 g	5 %
Saturés	1,5 g	7 %
+ Trans	0,1 g	
Polyinsaturés	0 g	
Oméga-6	0,2 g	
Oméga-3 (ALA)	0 g	
Oméga-3 (EPA+DHA)	0 g	
Monoinsaturés	1 g	
Cholestérol	52 mg	18 %
Sodium	210 mg	9 %
Potassium	252 mg	8 %
Glucides	13 g	5 %
Fibres alimentaires	0 g	1 %
Sucres	0 g	
Protéines	7 g	
Vitamine A		10 %
Vitamine C		3 %
Calcium		18 %
Fer		2 %
Vitamine D		30 %
Vitamine E		3 %

ÉCHANGE POUR DIABÉTIQUES

½ échange de lait

500 ml (2 tasses)	de lait à 1 % M.G.
1	œuf légèrement battu
3 c. à soupe	de fécule de maïs
¼ de c. à thé (à café)	de sel
125 ml (½ tasse)	d'édulcorant hypocalorique
1 c. à thé (à café)	de vanille

Cuisson au micro-ondes:

- Dans un plat en pyrex de 1 litre (4 tasses), chauffer le lait pendant 4 minutes à intensité moyenne (7).
- Mélanger l'œuf, la fécule de maïs et le sel. Ajouter lentement au lait chaud. Cuire de 5 à 6 minutes à intensité moyenne (7) en mélangeant 2 ou 3 fois, jusqu'à consistance épaisse et onctueuse.
- Retirer du four, mélanger et ajouter l'édulcorant et la vanille.
- Étendre une feuille de pellicule plastique sur toute la surface de la crème pour empêcher la formation d'une peau. La laisser refroidir complètement.

Cuisson sur la cuisinière:

- Dans une casserole, mélanger la fécule de maïs et le sel. Ajouter le lait graduellement. Faire cuire sur feu moyen en remuant jusqu'à épaississement.
- Verser en fouettant une petite quantité de lait chaud sur l'œuf battu, puis verser ce mélange dans la préparation de lait chaud. Faire cuire encore pendant 1 minute en fouettant.
- Retirer du feu, ajouter la vanille et l'édulcorant. Laisser refroidir.

Crêpes du verger

6 PORTIONS

POUR LES CRÊPES:

1 recette	de pâte à crêpes (voir recette, p. 262)
1 c. à thé (à café)	de vanille

POUR LA GARNITURE:

4	pommes à cuire
1 c. à soupe	d'huile de canola
1 c. à soupe	d'édulcorant hypocalorique
1/2 c. à thé (à café)	de cannelle
	Yogourt léger à la vanille ou lait glacé pour garnir

- Préparer la pâte à crêpes et la parfumer à la vanille. Faire cuire les crêpes, les garder au chaud dans le four à 70 °C (150 °F). Donne 6 crêpes.
- Peler, vider et couper les pommes en tranches minces.
- Dans une grande poêle antiadhésive, faire chauffer l'huile et faire attendrir doucement les pommes à feu moyen pendant 8 minutes. Ajouter l'édulcorant et la cannelle. Bien mélanger.
- Répartir la préparation de pommes entre les crêpes et les rouler comme un gâteau roulé. Servir nappé de yogourt léger à la vanille ou d'une cuillerée de lait glacé.

Croûte à tarte de miettes de biscuit (Graham)

DONNE 1 CROÛTE À TARTE

(CUISSON AU MICRO-ONDES OU AU FOUR)

60 ml (¹/₄ de tasse)	d'huile de canola
300 ml (1 ¹/₄ de tasse)	de miettes de biscuits

- Mélanger parfaitement les miettes et l'huile. Presser le mélange dans le fond et sur les parois d'un moule à tarte en pyrex de 22,5 cm (9 po). Cuire au four à 190 °C (375 °F) pendant 8 minutes ou au micro-ondes à intensité moyenne (7) pendant 3 minutes.

VALEUR NUTRITIVE PAR PORTION DE 1/6 DE CROÛTE

	Teneur	% VQ
Calories	120	
Lipides	8 g	13 %
Saturés	0,5 g	5 %
+ Trans	0,2 g	
Polyinsaturés	2,5 g	
Oméga-6	1,9 g	
Oméga-3 (ALA)	0,7 g	
Oméga-3 (EPA+DHA)	0 g	
Monoinsaturés	4,5 g	
Cholestérol	0 mg	0 %
Sodium	81 mg	4 %
Potassium	18 mg	3 %
Glucides	10 g	4 %
Fibres alimentaires	0,5 g	2 %
Sucres	4 g	
Protéines	1 g	
Vitamine A		0 %
Vitamine C		0 %
Calcium		1 %
Fer		4 %
Vitamine D		0 %
Vitamine E		13 %

ÉCHANGE POUR DIABÉTIQUES

1 échange de pain
2 échanges de gras

Délice estival

6 PORTIONS

1 recette	de crème pâtissière (voir recette, p. 255)
1 c. à thé (à café)	d'essence d'amande
500 ml (2 tasses)	de fraises, framboises ou pêches fraîches tranchées
60 ml (¼ de tasse)	d'édulcorant hypocalorique
60 ml (¼ de tasse)	d'amandes effilées grillées
6	fraises entières pour garnir

- Préparer la crème pâtissière. L'aromatiser à l'essence d'amande. Couvrir la crème d'une pellicule plastique bien collée sur toute sa surface. Refroidir.
- Préparer les fruits. Ajouter l'édulcorant et bien mélanger.
- Les répartir dans 6 petites coupes à dessert et couvrir de la crème pâtissière.
- Garnir d'amandes grillées et d'une belle fraise entière ou taillée en éventail.

VALEUR NUTRITIVE PAR PORTION

	Teneur	% VQ
Calories	125	
Lipides	5 g	8 %
Saturés	1 g	7 %
+ Trans	0 g	
Polyinsaturés	1 g	
Oméga-6	0,8 g	
Oméga-3 (ALA)	0,1 g	
Oméga-3 (EPA+DHA)	0 g	
Monoinsaturés	2,5 g	
Cholestérol	35 mg	12 %
Sodium	142 mg	6 %
Potassium	304 mg	9 %
Glucides	15 g	5 %
Fibres alimentaires	1,5 g	6 %
Sucres	3 g	
Protéines	6 g	
Vitamine A		7 %
Vitamine C		60 %
Calcium		14 %
Fer		5 %
Vitamine D		20 %
Vitamine E		33 %

ÉCHANGE POUR DIABÉTIQUES

1 échange de matières grasses
½ échange de féculents
½ échange de fruits

Gourmandises aux fruits

8 PORTIONS

VALEUR NUTRITIVE PAR PORTION		
	Teneur	% VQ
Calories	45	
Lipides	0 g	1 %
Saturés	0 g	1 %
+ Trans	0 g	
Polyinsaturés	0 g	
Oméga-6	0,1 g	
Oméga-3 (ALA)	0 g	
Oméga-3 (EPA+DHA)	0 g	
Monoinsaturés	0 g	
Cholestérol	1 mg	1 %
Sodium	40 mg	2 %
Potassium	155 mg	5 %
Glucides	8 g	3 %
Fibres alimentaires	1,5 g	7 %
Sucres	5 g	
Protéines	4 g	
Vitamine A		1 %
Vitamine C		31 %
Calcium		6 %
Fer		2 %
Vitamine D		2 %
Vitamine E		3 %

ÉCHANGE POUR DIABÉTIQUES

1/2 échange de fruits

250 ml (1 tasse)	de fraises fraîches ou surgelées non sucrées
250 ml (1 tasse)	de framboises fraîches ou surgelées non sucrées
125 ml (½ tasse)	de bleuets frais ou surgelés non sucrés
2 c. à soupe	de jus de citron
2 sachets	de gélatine neutre
125 ml (½ tasse)	d'eau froide
2	blancs d'œufs
250 ml (1 tasse)	de yogourt nature à 0,1 % M.G.
125 ml (½ tasse)	d'édulcorant hypocalorique
	Fraises ou framboises fraîches pour garnir

- Décongeler les fruits, les réduire en purée mousseuse au mélangeur ou au robot culinaire. Ajouter le jus de citron. Réserver.
- Dans un petit bol, faire gonfler la gélatine dans l'eau froide pendant 5 minutes. La faire fondre au micro-ondes pendant 30 secondes à haute intensité (10) ou la placer dans un bol dans un récipient d'eau bouillante. Remuer jusqu'à dissolution. Verser la gélatine dans la purée de fruits. Bien mélanger.
- Ajouter le yogourt, mélanger. Réfrigérer jusqu'à ce que ce soit partiellement pris. Battre les blancs d'œufs en mousse.
- Ajouter l'édulcorant et continuer à fouetter les blancs d'œufs jusqu'à ce qu'ils soient fermes. Les ajouter délicatement au mélange de fruits, en pliant le tout à la spatule.
- Vaporiser d'enduit végétal antiadhésif un joli moule de 1,5 litre (5 tasses). Y verser la préparation et réfrigérer jusqu'au lendemain. Démouler dans une assiette de service, garnir de fraises ou de framboises fraîches.

Mousse mangue et limette

8 PORTIONS

2 sachets	de gélatine neutre
125 ml (1/2 tasse)	d'eau froide
3	mangues mûres pelées et dénoyautées
2	blancs d'œufs
125 ml (1/2 tasse)	de jus de limette
	Le zeste râpé de 1 limette
125 ml (1/2 tasse)	d'édulcorant hypocalorique
250 ml (1 tasse)	de yogourt nature à 0,1 % M.G.
2 ou 3 gouttes	de colorant alimentaire vert

- Entourer un moule d'une bande de papier ciré pliée en deux sur la longueur et vaporisée d'enduit antiadhésif pour obtenir un moule à soufflé de 1 litre (4 tasses). Fixer le collet au moule avec du ruban adhésif de façon à ce qu'il dépasse le bord de 8 cm (3 po).
- Dans un petit bol, faire gonfler la gélatine dans l'eau froide pendant 5 minutes. La faire fondre au micro-ondes pendant 30 secondes à haute intensité (10) ou placer le bol dans un récipient d'eau bouillante.
- Réduire en purée la pulpe des mangues au mélangeur. La verser dans un grand bol. Ajouter la gélatine fondue, le jus et le zeste de limette. Réfrigérer pendant environ 30 minutes ou jusqu'à ce que ce soit légèrement épaissi.
- Fouetter en mousse les blancs d'œufs. Ajouter l'édulcorant et continuer à fouetter jusqu'à ce que les blancs soient fermes.
- Verser le yogourt dans la préparation de mangues. Puis, délicatement et en pliant à la spatule, incorporer les blancs d'œufs. Ajouter le colorant.
- Verser dans le plat à soufflé. Réfrigérer jusqu'au lendemain. Enlever le collet de papier. Décorer au goût avec de fines tranches de limette ou de petits quartiers de mangue. Servir.

Note On peut aussi verser le mélange de mousse mangue et limette dans un joli moule à bavarois. Le réfrigérer toute une nuit et le démouler au moment de servir. Garnir de fines rondelles de limette.

Pain doré parfumé

4 PORTIONS DE 1 TRANCHE

VALEUR NUTRITIVE PAR PORTION DE 1 TRANCHE		
	Teneur	% VQ
Calories	125	
Lipides	6 g	9 %
Saturés	1,5 g	7 %
+ Trans	0 g	
Polyinsaturés	1,2 g	
Oméga-6	0,9 g	
Oméga-3 (ALA)	0,3 g	
Oméga-3 (EPA+DHA)	0 g	
Monoinsaturés	3 g	
Cholestérol	48 mg	16 %
Sodium	202 mg	9 %
Potassium	126 mg	4 %
Glucides	14 g	5 %
Fibres alimentaires	2 g	8 %
Sucres	6 g	
Protéines	5 g	
Vitamine A		7 %
Vitamine C		1 %
Calcium		6 %
Fer		8 %
Vitamine D		17 %
Vitamine E		4 %

ÉCHANGE POUR DIABÉTIQUES

1 échange de féculents

1	œuf
80 ml (¹/₃ de tasse)	de lait à 1 % M.G.
¹/₂ c. à thé (à café)	de vanille
¹/₄ de c. à thé (à café)	de muscade
4 tranches	de pain de blé entier
	Margarine

- Battre l'œuf avec le lait, la vanille et la muscade.
- Tartiner légèrement de margarine un côté des tranches de pain. Les déposer, côté tartiné, dans une grande poêle antiadhésive chauffée à feu moyen.
- Verser sur chaque tranche le quart de la préparation à l'œuf et l'étendre rapidement sur toute la tranche. Retourner les tranches pour les faire dorer sur l'autre face.

Note Délicieux avec du Fromage de yogourt (voir recette, p. 116) ou avec la Confiture de fraises exquise (voir recette, p. 245).

Pâte à crêpes

6 PORTIONS

1	œuf
1	blanc d'œuf
375 ml (1 ½ tasse)	de lait à 1 % M.G.
250 ml (1 tasse)	de mi-farine tout usage et mi-farine de blé entier (complet)
¼ de c. à thé (à café)	de sel

- Battre l'œuf et le blanc dans un bol. Ajouter le lait, incorporer la farine et le sel.
- Vaporiser d'enduit végétal antiadhésif une poêle antiadhésive de 25 cm (10 po).
- Verser dans la poêle 80 ml (1/3 de tasse) de mélange à crêpes. L'étendre et cuire des deux côtés à feu moyen ou jusqu'à coloration dorée.

VALEUR NUTRITIVE PAR PORTION

	Teneur	% VQ
Calories	125	
Lipides	2 g	3 %
Saturés	1 g	5 %
+ Trans	0 g	
Polyinsaturés	0,3 g	
Oméga-6	0,2 g	
Oméga-3 (ALA)	0 g	
Oméga-3 (EPA+DHA)	0 g	
Monoinsaturés	0,5 g	
Cholestérol	34 mg	12 %
Sodium	137 mg	6 %
Potassium	190 mg	6 %
Glucides	20 g	7 %
Fibres alimentaires	1,5 g	7 %
Sucres	1 g	
Protéines	7 g	
Vitamine A		6 %
Vitamine C		2 %
Calcium		10 %
Fer		8 %
Vitamine D		16 %
Vitamine E		3 %

ÉCHANGE POUR DIABÉTIQUES

½ échange de lait
1 échange de féculents

Pastèque farcie de fruits frais

12 PORTIONS

VALEUR NUTRITIVE PAR PORTION		
	Teneur	% VQ
Calories	75	
Lipides	0 g	1 %
Saturés	0 g	1 %
+ Trans	0 g	
Polyinsaturés	0 g	
Oméga-6	0,1 g	
Oméga-3 (ALA)	0 g	
Oméga-3 (EPA+DHA)	0 g	
Monoinsaturés	0 g	
Cholestérol	0 mg	0 %
Sodium	22 mg	1 %
Potassium	416 mg	12 %
Glucides	19 g	7 %
Fibres alimentaires	1,5 g	6 %
Sucres	16 g	
Protéines	2 g	
Vitamine A		10 %
Vitamine C		70 %
Calcium		2 %
Fer		4 %
Vitamine D		0 %
Vitamine E		1 %

ÉCHANGE POUR DIABÉTIQUES
1 échange de fruits

1 de chacun :	petite pastèque (melon d'eau), melon miel, melon brodé (cantaloup)
	Fruits frais : fraises, poires, pêches, kiwis, au goût
125 ml (½ tasse)	de jus d'orange frais
2 sachets	d'édulcorant hypocalorique
1 c. à soupe	de Grand Marnier ou cognac (facultatif)

- Couper la pastèque en dents de scie de façon à obtenir un bol une fois évidée.
- Évider la pastèque et, à l'aide d'une cuillère parisienne, faire des boules avec sa chair rose de même qu'avec la chair du melon brodé et celle du melon miel.
- Mélanger avec les autres fruits frais. Remplir l'écorce de la pastèque de cette salade.
- Mélanger le jus d'orange frais, l'édulcorant et le Grand Marnier ou le cognac.
- Verser sur les fruits. Garder au froid jusqu'au moment de servir.

Pouding au riz crémeux

6 PORTIONS

VALEUR NUTRITIVE PAR PORTION		
	Teneur	% VQ
Calories	150	
Lipides	2 g	4 %
Saturés	1 g	5 %
+ Trans	0 g	
Polyinsaturés	0 g	
Oméga-6	0,2 g	
Oméga-3 (ALA)	0 g	
Oméga-3 (EPA+DHA)	0 g	
Monoinsaturés	0,5 g	
Cholestérol	35 mg	2 %
Sodium	141 mg	6 %
Potassium	255 mg	8 %
Glucides	27 g	9 %
Fibres alimentaires	1 g	4 %
Sucres	6 g	
Protéines	6 g	
Vitamine A		7 %
Vitamine C		3 %
Calcium		13 %
Fer		4 %
Vitamine D		20 %
Vitamine E		2 %

ÉCHANGE POUR DIABÉTIQUES

1 échange de féculents
1/2 échange de lait

1 recette	de crème pâtissière (voir recette, p. 255)
80 ml (1/3 de tasse)	de raisins secs
375 ml (1 1/2 tasse)	de riz à grain long déjà cuit
1 pincée	de muscade

- Préparer la crème pâtissière. Faire gonfler les raisins en les couvrant d'eau bouillante 2 minutes. Les égoutter.
- Ajouter le riz à la crème pâtissière ainsi que les raisins.
- Verser dans un plat de service et saupoudrer d'une pincée de muscade.

Régal aux fruits

4 PORTIONS

1 sachet	de gélatine neutre
60 ml (¹/₄ de tasse)	d'eau froide
375 ml (1 ¹/₂ tasse)	de compote de pommes maison ou en conserve sans sucre
60 ml (¹/₄ de tasse)	d'édulcorant hypocalorique
1 c. à soupe	de zeste d'orange
2	oranges pelées à vif et coupées en segments
	Coulis de framboises (voir recette, p. 246)

- Faire gonfler la gélatine dans l'eau froide pendant 5 minutes. À feu doux et tout en remuant, chauffer la compote jusqu'à ébullition. Retirer du feu. Ajouter la gélatine, agiter le mélange pour la faire fondre. Laisser refroidir.
- Ajouter l'édulcorant, le zeste et les oranges. Verser dans 4 moules individuels vaporisés d'enduit végétal antiadhésif. Réfrigérer jusqu'à ce que ce soit pris. Démouler.
- Verser un peu de coulis aux framboises dans les assiettes de service et ajouter la mousse aux pommes par-dessus.

VALEUR NUTRITIVE PAR PORTION

	Teneur	% VQ
Calories	135	
Lipides	1 g	1 %
Saturés	0 g	1 %
+ Trans	0 g	
Polyinsaturés	0,5 g	
Oméga-6	0,2 g	
Oméga-3 (ALA)	0,1 g	
Oméga-3 (EPA+DHA)	0 g	
Monoinsaturés	0 g	
Cholestérol	0 mg	0 %
Sodium	7 mg	1 %
Potassium	308 mg	9 %
Glucides	30 g	10 %
Fibres alimentaires	7,5 g	30 %
Sucres	21 g	
Protéines	3 g	
Vitamine A		1 %
Vitamine C		111 %
Calcium		5 %
Fer		6 %
Vitamine D		0 %
Vitamine E		10 %

ÉCHANGE POUR DIABÉTIQUES

2 échanges de fruits

Soufflé froid aux framboises

8 PORTIONS

2 sachets	de gélatine neutre
80 ml (1/3 de tasse)	de jus d'orange frais
750 ml (3 tasses)	de framboises surgelées non sucrées, décongelées
ou	
875 ml (3 1/2 tasses)	de framboises fraîches
1 c. à thé (à café)	de zeste d'orange râpé
4	blancs d'œufs
160 ml (2/3 de tasse)	d'édulcorant hypocalorique
250 ml (1 tasse)	de yogourt maison ou 1 % M.G.
	Framboises fraîches et minces tranches d'orange pour garnir

- Entourer un moule d'une bande de papier ciré pliée en deux sur la longueur et vaporisée d'enduit antiadhésif pour obtenir un moule à soufflé de 1 litre (4 tasses). Fixer le collet au moule avec du ruban adhésif de façon à ce qu'il dépasse le bord de 8 cm (3 po).
- Faire gonfler la gélatine dans le jus d'orange 3 minutes. La faire fondre en mettant le plat 30 secondes au micro-ondes à haute intensité (10) ou en plaçant le plat dans une petite casserole avec un fond d'eau bouillante.
- Réduire les framboises en purée au robot culinaire ou au mélangeur.
- Transvider dans un grand bol. Ajouter la gélatine dissoute et le zeste d'orange. Refroidir environ 30 minutes ou jusqu'à ce que ce soit légèrement épaissi.
- Fouetter les blancs d'œufs dans un grand bol jusqu'à ce qu'ils soient mousseux. Ajouter l'édulcorant et continuer à fouetter jusqu'à ce qu'ils soient fermes. Incorporer le yogourt à la préparation de framboises. Puis, délicatement et en pliant à la spatule, ajouter les blancs d'œufs.
- Verser dans le moule à soufflé. Réfrigérer au mois 6 heures. Enlever le collet de papier. Garnir de framboises fraîches et de minces tranches d'orange.

VALEUR NUTRITIVE PAR PORTION

	Teneur	% VQ
Calories	70	
Lipides	1 g	2 %
Saturés	0,5 g	2 %
+ Trans	0 g	
Polyinsaturés	0 g	
Oméga-6	0,2 g	
Oméga-3 (ALA)	0,1 g	
Oméga-3 (EPA+DHA)	0 g	
Monoinsaturés	0 g	
Cholestérol	2 mg	1 %
Sodium	53 mg	3 %
Potassium	205 mg	6 %
Glucides	11 g	4 %
Fibres alimentaires	3,5 g	15 %
Sucres	6 g	
Protéines	6 g	
Vitamine A		1 %
Vitamine C		34 %
Calcium		8 %
Fer		4 %
Vitamine D		0 %
Vitamine E		6 %

ÉCHANGE POUR DIABÉTIQUES

1 échange de fruits

Tarte à la crème aux bananes

6 PORTIONS

1	croûte à tarte de miettes de biscuits (Graham) (voir recette, p. 257)

POUR LA GARNITURE:

3 c. à soupe	de fécule de maïs
¼ de c. à thé (à café)	de sel
500 ml (2 tasses)	de lait à 1 % M.G.
125 ml (½ tasse)	d'édulcorant hypocalorique
1	œuf battu
1	blanc d'œuf légèrement battu
1 c. à soupe	de margarine
1 c. à thé (à café)	d'essence d'amande
2	bananes tranchées
2 c. à soupe	de jus de citron

- Préparer la croûte à tarte. La faire refroidir.
- Garniture : Dans une casserole antiadhésive, mélanger la fécule de maïs et le sel. Graduellement, ajouter le lait en fouettant. Sans cesser de mélanger, cuire sur feu moyen jusqu'à ébullition. Poursuivre la cuisson pendant 2 minutes de plus.
- Retirer du feu. Verser une petite quantité du mélange chaud sur les œufs battus. Continuer à remuer et verser ce mélange dans la préparation de lait chaud. Cuire de nouveau pendant 2 minutes tout en agitant. Enlever du feu, ajouter la margarine, l'essence d'amande et l'édulcorant.
- Étendre de la pellicule plastique sur toute la surface de la crème pour empêcher la formation d'une peau. La laisser refroidir complètement.
- Verser la moitié de la crème refroidie dans la croûte. Déposer par-dessus les tranches de 1 ½ banane. Couvrir avec le reste de la crème.
- Garnir avec le reste des tranches de banane trempées dans le jus de citron.

**VALEUR NUTRITIVE
PAR PORTION (⅙ DE TARTE)**

	Teneur	% VQ
Calories	290	
Lipides	15 g	24 %
Saturés	2 g	12 %
+ Trans	0,3 g	
Polyinsaturés	4,5 g	
Oméga-6	3,2 g	
Oméga-3 (ALA)	1,2 g	
Oméga-3 (EPA+DHA)	0 g	
Monoinsaturés	8,5 g	
Cholestérol	35 mg	12 %
Sodium	257 mg	11 %
Potassium	342 mg	10 %
Glucides	32 g	11 %
Fibres alimentaires	1 g	5 %
Sucres	11 g	
Protéines	6 g	
Vitamine A		7 %
Vitamine C		12 %
Calcium		13 %
Fer		7 %
Vitamine D		20 %
Vitamine E		23 %

ÉCHANGE POUR DIABÉTIQUES

1 échange de fruits
1 échange de féculents

Tarte à la crème et aux fruits

6 PORTIONS

1	croûte de miettes de biscuits (voir recette, p. 257)
1 recette	de crème pâtissière (voir recette p. 255)

POUR LA GARNITURE:

	Fruits frais: kiwis, raisin, bleuets, pêches, poires, etc., au goût
	Cubes de glace
80 ml (¹/₃ de tasse)	d'eau
2 c. à thé (à café)	d'arrow-root ou de fécule de maïs
1 c. à thé (à café)	de jus de citron
1 c. à thé (à café)	de poudre pour gelée non sucrée à l'essence de citron (pour colorer)
2 sachets	d'édulcorant hypocalorique

- Préparer la croûte de miettes de biscuits (Graham) et la crème pâtissière.
- Lorsque la crème est bien refroidie, la verser dans la croûte.
- Garnir joliment de fruits.
- Préparer la glace en mélangeant dans une tasse à mesurer l'eau et l'arrow-root. Brasser, cuire à haute intensité (10) 40 secondes au micro-ondes. Brasser, cuire à nouveau 30 secondes ou jusqu'à épaississement. Ajouter l'édulcorant, le jus de citron et la gelée non sucrée. Bien mélanger.
- Verser ou étendre au pinceau de cuisine sur les fruits. Réfrigérer.

VALEUR NUTRITIVE PAR PORTION (¹/₆ DE TARTE)

	Teneur	% VQ
Calories	275	
Lipides	13 g	21 %
Saturés	2 g	11 %
+ Trans	0,3 g	
Polyinsaturés	3,5 g	
Oméga-6	2,8 g	
Oméga-3 (ALA)	1 g	
Oméga-3 (EPA+DHA)	0 g	
Monoinsaturés	7 g	
Cholestérol	35 mg	12 %
Sodium	249 mg	11 %
Potassium	322 mg	10 %
Glucides	33 g	12 %
Fibres alimentaires	2,5 g	11 %
Sucres	13 g	
Protéines	6 g	
Vitamine A		7 %
Vitamine C		46 %
Calcium		14 %
Fer		8 %
Vitamine D		20 %
Vitamine E		24 %

ÉCHANGE POUR DIABÉTIQUES

2 échanges de matières grasses
1 échange de féculents
1 échange de fruits
¹/₂ échange de lait

Tarte aux fraises fraîches

6 PORTIONS

1 sachet	de poudre pour gelée non sucrée aux fraises
500 ml (2 tasses)	d'eau bouillante
2 c. à soupe	d'arrow-root ou de fécule de maïs
750 ml (3 tasses)	de fraises fraîches
1	croûte de miettes de biscuits (Graham) (voir recette, p. 257)

- Amener à ébullition la poudre pour gelée non sucrée, l'eau et l'arrow-root et cuire jusqu'à ce que le tout devienne translucide.
- Refroidir et verser sur la croûte de que l'on a préalablement garnie de belles fraises fraîches.
- Refroidir complètement.

VALEUR NUTRITIVE PAR PORTION (¹⁄₆ DE TARTE)

	Teneur	% VQ
Calories	200	
Lipides	11 g	18 %
Saturés	1 g	6 %
+ Trans	0,2 g	
Polyinsaturés	3,5 g	
Oméga-6	2,6 g	
Oméga-3 (ALA)	1 g	
Oméga-3 (EPA+DHA)	0 g	
Monoinsaturés	6,5 g	
Cholestérol	0 mg	0 %
Sodium	111 mg	5 %
Potassium	148 mg	5 %
Glucides	22 g	8 %
Fibres alimentaires	2,5 g	10 %
Sucres	9 g	
Protéines	3 g	
Vitamine A		1 %
Vitamine C		79 %
Calcium		2 %
Fer		8 %
Vitamine D		0 %
Vitamine E		20 %

ÉCHANGE POUR DIABÉTIQUES

2 échanges de matières grasses
1 échange de féculents
1 échange de fruits
¹⁄₂ échange de lait

271
Quelques
trucs maison

Assaisonnement santé

DONNE ENVIRON 6 C. À SOUPE (SUBSTITUT DU SEL)

5 c. à thé (à café)	de poudre d'oignon
1 c. à soupe	de paprika
1 c. à soupe	de poudre d'ail
1 c. à soupe	de moutarde en poudre
1 c. à thé (à café)	de basilic
1 c. à thé (à café)	de marjolaine
1 c. à thé (à café)	de romarin
½ c. à thé (à café)	de poivre
¼ de c. à thé (à café)	de sarriette
¼ de c. à thé (à café)	de graines de céleri

- Dans un petit bol, mélanger les ingrédients en ayant soin d'écraser les graines de céleri. Verser dans une salière.

Herbes de Provence

DONNE 8 C. À SOUPE

3 c. à soupe	de thym
8 feuilles	de laurier émiettées
2 c. à soupe	de romarin moulu
2 c. à soupe	de basilic
1 c. à soupe	de sarriette
1 c. à thé (à café)	de grains de fenouil moulus

- Mélanger tous les ingrédients en les émiettant parfaitement au robot culinaire.
- Conserver dans un pot à épices bien identifié.
- Les herbes de Provence confèrent aux viandes grillées et braisées une saveur exquise. C'est aussi un assaisonnement de choix pour les légumes, les potages et le poisson.
- On les trouve dans les supermarchés, mais on peut très facilement les préparer soi-même. Elles sont fantastiques.

Note À défaut de robot culinaire, on peut mettre tous les ingrédients dans un petit sac de plastique et les écraser avec le rouleau à pâtisserie. Mais, bien sûr, les fines herbes ne seront pas aussi émiettées.

Vinaigre de fraise ou de framboise

DONNE 500 ML (2 TASSES)

250 ml (1 tasse)	de fruits, fraises ou framboises
250 ml (1 tasse)	de vinaigre de vin blanc

- Parer les fruits, les nettoyer et les mettre dans un bocal à marinade d'une capacité de 500 ml (2 tasses). Ajouter le vinaigre. Laisser macérer environ 1 mois à l'abri de la lumière.
- Filtrer alors le vinaigre à l'aide d'une mousseline. Le verser dans une bouteille qui se bouche bien.
- Conserver dans un endroit sec et frais.
- C'est un vinaigre délicieux. Très facile à réussir chez soi. On peut profiter de l'été, la saison d'abondance, pour faire des provisions. On peut même, au besoin, remplacer les fruits frais par des fruits surgelés (décongelés et égouttés). Mais le résultat est un peu différent.

Index des recettes

Bibliographie

MC PHERSON R., J. FROLICH, G. FODOR, J. GENEST, «Recommandations pour le diagnostic et le traitement des dyslipidémies et le traitement des maladies cardiovasculaires», *Canadian Cardiovascular Society position statement*, *Canadian Journal of Cardiology*, vol. 222, no 11, 2006, p. 913-927.

Alice H. LICHTENSTEIN, DSc. Chair FAHA, et autres, «Révision 2006 des recommandations face à la diète et au mode de vie», *Une position scientifique du Comité de Nutrition de L'American Heart Association*, *Circulation*, vol. 114, 2006, p. 82-96.

NATIONAL CHOLESTEROL EDUCATION PROGRAM EXPERT PANEL ON DETECTION, «Evaluation and treatment of high blood cholesterol in adults», *Adult Treatment Panel*, vol. 111, 2001.

HÔPITAL LAVAL, INSTITUT UNIVERSITAIRE DE CARDIOLOGIE ET DE PNEUMOLOGIE, SERVICE DE DIÉTÉTIQUE, «Critères de Sélection pour le choix d'aliments Santé», «Comment déchiffrer les Étiquettes Nutritionnelles», «Les Fibres solubles, les Fibres insolubles», «Les Oméga-3», «Alimentation au restaurant», «Anticoagulothérapie», «Trucs de substitution pour améliorer vos recettes».

DIONNE, Johanne Dt.P., Mélissa LAGACÉ, Dt.P. «Anticoagulothérapie, uniformisons notre enseignement» dans *La Nutrition, un élément essentiel en santé cardiovasculaire*, Institut Universitaire de Cardiologie et de Pneumologie, Hôpital Laval (mai 2005).

CYR, Josianne Dt.P. «La vitamine K et les médicaments anticoagulants», dans *Nouveaux plaisirs de la cuisine santé*, Trécarré, 1997, p. xix-xx.

COLLECTIF, *Maigrir, la santé avant tout! Comment? Pourquoi? Pour qui?*, Les Éditions Protégez-vous en partenariat avec L'Ordre Professionnel des Diététistes du Québec et en collaboration avec «Équilibre», groupe d'action sur le poids, 2006.

DIABÈTE QUÉBEC, SANTÉ ET SERVICES SOCIAUX QUÉBEC, *Guide d'alimentation pour la personne diabétique*, 2003.

BECEL, Bureau d'information sur la Santé Cardiaque: www.becel.ca.

BLAIS, Chantal Dt.P, Claude JOBIN, Dt.P, Émilie RAYMOND, Dt.P, Huguette-Andrée THÉRIAULT, Dt.P. *Mon guide nutritionnel pour prévenir et traiter l'hypertension artérielle*, Société québécoise d'hypertension artérielle, Montréal, 2005.

COLLECTIF, *Bien acheter pour mieux manger*, Les Éditions Protégez-vous, 2004.

SANTÉ CANADA, *Bien manger avec le Guide alimentaire Canadien*, 2007, www.santecanada.gc.ca/guidealimentaire.

Fondation des maladies du cœur: www.fmcoeur.ca

Centre de documentation sur la nutrition humaine: www.extenso.org.

American Heart Association: www.americanheart.org.

Remerciements

Un projet d'une telle envergure n'aurait pu se réaliser sans la collaboration étroite de plusieurs intervenants.

D'abord, un merci sincère à Madame Margot Brun Cornellier et à sa famille, pour s'être tournée vers notre équipe, Louise Gagnon Dt. P, M.SC, Odette Navratil, Dt. P, M.SC. et moi-même, dans la réalisation de ce précieux document.

Je tiens à formuler un merci très spécial à Madame Nicole Dubé de la division hospitalière de la Compagnie Sandoz qui m'a soutenue tout au long du projet par ses judicieux conseils, son humanisme, et son expertise dans le domaine de la communication, à Mesdames Louise Gagnon et Odette Navratil, diététistes/ nutritionnistes, deux précieuses collaboratrices qui m'ont apporté leur expertise et leur collaboration tout au long du projet et qui ont revisé avec moi toutes les recettes et les textes de la section Enseignement. Sans l'implication de ces trois personnes, ce projet ne se serait jamais réalisé.

Un tel projet n'aurait pu se concrétiser sans un soutien financier et une vision de la santé globale des individus; et c'est M. Gordon Meyer, directeur de la division hospitalière canadienne de Sandoz, un visionnaire qui a cru dans le projet.

Je ne pourrais passer sous silence l'équipe de Marketing de Sandoz Canada qui a m'a soutenue tout au long de la réalisation de ce projet, en particulier Madame Josée Lavoie, Chef de produit, Marketing.

Je tiens aussi à remercier M. Jean Francois Marsolais, diététiste/nutritionniste, pour la révision des recettes, du calcul des valeurs nutritives et des échanges pour diabétiques et ce, pour toutes les recettes; Madame Chantale Martineau, diététiste/nutritionniste, pour la révision de la section «Diabète» et Madame Marie-Claude Vohl, docteure en nutrition, pour la révision de la section «Nutrigénomique».

Un sincère merci au docteur Claude Gagné, ancien chef du service de lipidologie du Centre hospitalier universitaire de Québec et Madame Roxanne Guindon, nutritionniste et ancien chef d'équipe en prévention et promotion de la santé à la Fondation des maladies du cœur, pour avoir accepté de réviser le manuscrit et pour leurs précieux conseils.

Je ne saurais oublier les personnes qui me sont très chères et qui m'ont soutenue tout au long de ce projet: mes amies, en particulier Thérèse Fournier et Thérèse Martel, et mes enfants et leurs conjoints Richard, Anne-Marie, John, Yvan, Caroline et Isabelle, une experte culinaire et mes petits-enfants pour leur dynamisme qui m'a poussée à toujours aller plus loin et en particulier à mon petit-fils Andrew qui m'a encouragée tout au long du projet.

MERCI!

Thérèse Laberge Samson, Dt.P., nutritionniste

Cher lecteur,

Depuis sa création, Sandoz Canada se préoccupe du bien-être des Canadiens. Nous cherchons constamment à créer et à fournir des solutions novatrices en matière de soins de santé qui facilitent la vie de tous. Participer à la réalisation du projet de livre *Manger de bon cœur* est donc notre façon d'encourager les gens à prendre soin de leur santé en consommant des aliments sains et savoureux.

Le succès des éditions précédentes démontre que les gens touchés de près ou de loin par des problèmes cardiovasculaires ou de diabète sont à la recherche de conseils pratiques, mais aussi crédibles, afin de prendre soin d'eux ou de leurs proches. Ce livre unique en son genre s'avère être aussi utile aux professionnels de la santé.

C'est donc un grand privilège pour Sandoz Canada d'être le partenaire de cet admirable projet.

Bonne lecture!

Pierre Fréchette, président et chef de la direction, Sandoz Canada Inc.

Marquis imprimeur inc.

Québec, Canada
2009